长篇历史小说

成吉思汗

蒙古汉子

子孙秘传

第二季之一

胡刃 著

中国国际广播出版社

图书在版编目（CIP）数据

蒙古汉子 / 胡刃著. —北京：中国国际广播出版社，2017.3
（成吉思汗子孙秘传. 第二季）
ISBN 978-7-5078-3934-0

Ⅰ.①蒙… Ⅱ.①胡… Ⅲ.①长篇历史小说－中国－当代
Ⅳ.① I247.5

中国版本图书馆CIP数据核字（2017）第003005号

蒙古汉子

著　者	胡　刃	
责任编辑	杜春梅	
版式设计	国广设计室	
责任校对	徐秀英	

出版发行	中国国际广播出版社 ［010-83139469　010-83139489（传真）］	
社　址	北京市西城区天宁寺前街2号北院A座一层	
	邮编：100055	
网　址	www.chirp.com.cn	
经　销	新华书店	
印　刷	环球东方（北京）印务有限公司	

开　本	710×1000　1/16	
字　数	232千字	
印　张	15.75	
版　次	2017 年 3 月 北京第一版	
印　次	2017 年 3 月 第一次印刷	
定　价	36.00 元	

主要人物

1. 巴特：巴家三少爷

2. 桐花：巴特之妻

3. 桐雪：桐花使女

4. 太夫人：巴特奶奶

5. 哈珠：太夫人使女

6. 巴拉：巴特大哥

7. 锡兰：巴拉夫人

8. 道尔吉：包头召喇嘛，巴特二哥

9. 嘉愚喇嘛：包头召喇嘛，巴家老人

10. 宝树：巴特结义兄弟，哈珠之夫

11. 哈森：哈珠之子

12. 李大裤衩子：走西口汉人，后改名李蒙富

13. 通智：清廷将领，后为工部尚书

14. 申慕德：建威将军

15. 傅尔丹：清廷将领

16. 马尔滚：土默特右旗副都统

17. 色楞：继任土默特右旗副都统

18. 刘统勋：左都御史，钦差

19. 噶尔丹策零：准噶尔蒙古可汗

20. 阿睦尔：原为准噶尔蒙古大将，后为可汗

目　录

第一章

如果准噶尔军向我射箭，应射中我的前胸，不可能射中我的后背。在我大获全胜之际，通智出现，难道是他暗算我……

时间：1720年（康熙五十九年），北元蒙古帝国灭亡后八十六年。

地点：科布多草原，今新疆与蒙古国交界。

漠西蒙古准噶尔与大清帝国双方战事吃紧，准噶尔军将领宝树率千余人押运粮草。过了一道山梁，眼前出现一片树林。

时值盛夏，烈日当空，加之连日赶路，这支人马很是疲惫，副将向宝树建议在树林边稍事休息。虽然此地是自己的后方，可宝树见林深树密，恐有不测，没有答应。副将并不甘心，他叫上几个小头领还想劝宝树，突然，一哨清军从林子里冲出。宝树吃了一惊，见对面是一员小将，二十出头，头戴乌金盔，身披乌金甲，外罩海蓝色英雄氅，两道蚕眉，一双细目，面色微黑，颧骨凸出，蒙古人特征十分明显。小将胯下一匹乌龙马，身后斜插一把三尺七寸长的大砍刀，左背弯弓，右挎箭囊。

宝树一怔，对面的清军小将不是自己的安答巴特吗？

安答就是结义兄弟。

巴特是漠南蒙古土默特右旗人。两年前，巴特和宝树同在清军营中效命，当时两个人都是从六品骁骑校。可一到科布多战场，巴特就以五十人夜入敌营,斩敌主帅。不久,清军被准噶尔军包围,眼看就要全军覆没,巴特夺敌帅旗,准噶尔军大乱,清军反败为胜。还有一次,清军与准噶尔军对垒,准噶尔一员悍将连胜六阵,清军胆怯,无人出战,巴特一箭射出,敌将毙命。因为巴特屡立奇功,深得大清振武将军傅尔丹赏识,他也因此成了傅尔丹营中最年轻的虎将。

今天,巴特率百余人,神不知、鬼不觉地摸到准噶尔汗国境内。

巴特与宝树马打对头,他恳切地说:"宝树安答,你是我的结拜兄长,我们像左右手一样亲密,我渴望你迷途知返,跟我一起回清营。傅尔丹将军说了,他绝不伤害你。"

宝树摇了摇头:"巴特安答,你要知道,草原上有羊,也有狼。那条狼不但把我的战功记在他的名下,还把我打得半死。我连马都上不去了,他还逼我出战,害得我差点丢了性命。"

巴特心中疑惑:"你是说通智将军?"

宝树愤愤地说:"除了他,还有谁?"

巴特若有所思:"宝树安答,就算通智对不起你,可是,你也应该为姐吉和小侄儿想一想,你叛国投敌,他们怎么办?"

土默特人称嫂子为姐吉。

宝树心情沉重,这些他都想过了,可是,那次通智打了他四十军棍,又逼他夜袭敌营。宝树被俘,准噶尔军不但没有杀他,反而给他治伤,救他性命。蒙古族有句谚语:好马登程难回头。大丈夫既然决定了,哪能出尔反尔?我既然降了准噶尔,就不会返回清营。

宝树打定主意,他说:"巴特安答,这里是准噶尔地界,你人少势孤,我不难为你,你走吧!"

巴特把马往前提了提:"宝树安答,我就是为你来的,你不回清营,我不能走。"

宝树斩钉截铁地说:"太阳从东方升起,还能从东方落下吗?泉水从泉眼流出,还能从泉眼流回去吗?"

宝树把话说尽了,巴特无可奈何:"既然你不跟我回清营,那就把粮草留下。咱们安答一场,我不会伤你性命。"

宝树回头看了看自己的一千多军兵，转过脸凄然道："巴特安答，我的人是你的十倍，你伤得了我吗？"

巴特眉毛往起一挑："宝树安答，那就对不起了……"

巴特摘下弓箭，前把推弓背，后把拉弓弦……

宝树一惊，他知道，只要被巴特的箭瞄上，几乎没有生还可能！难道巴特要对我下死手？可再一看，巴特的箭杆上缠着棉布，这是怎么回事？就在宝树愣神之际，"嗖"——巴特的箭射向粮草车，"呼"——一辆车着了。

巴特手下军兵乱箭齐发，霎时，宝树的粮草车火光冲天。

巴特收起弓箭，把背后的大砍刀拽了出来。他两脚一蹭镫，乌龙马像一道黑色闪电，准噶尔军挨上死，碰上亡。

强将手下无弱兵，何况巴特率领的这支土默特蒙古兵都是挑了又挑，选了又选，堪称清军中精锐的精锐，这些人以一当十，勇猛异常。

喊声、杀声、哀号声、惨叫声不绝于耳，准噶尔军有掉胳膊的，有断腿的；有丢了脑袋的，有找不到四肢的；有头被劈成两半的，有腰被斩为两截的；有心肝掉到外面的，有肠胃翻出来的……令人惨不忍睹。

宝树一千多押粮兵，愣是不敌巴特这支百余人清军。

粮车被大火吞噬了，宝树偷眼一看，自己身边剩下不到二百人，而巴特的军兵只倒下几个。宝树五脏皆裂：粮草被烧，军兵伤亡殆尽，我可怎么交代？

恰在此时，树林里又冲出一支清军，宝树往对面一看，不禁道："通智！"

通智把手中马刀一挥："杀——"

这支清兵也扑向宝树的准噶尔军。

巴特在准噶尔军中横冲直撞，忽听背后传来喊杀声，他刚要回头，"嗖"的一支箭正中后心，"扑通"，巴特从马上摔了下去。

巴特的大哥巴拉跳下马，扑到巴特身边："老三，你怎么样？老三，老三……"

巴拉连唤数声，巴特张了张嘴，巴拉听不清巴特在说什么。

一见通智，宝树千仇万恨涌上心头：全军覆没在所难免，我不能一个人回准噶尔营，反正也是一死，我跟通智拼了。宝树大喝一声，举刀直奔通智。可刚跑几步，有个清军砍断了宝树的马腿，一个马失前蹄，宝树滚落在地。宝树想爬起来，可通智已经到了他近前，"噗"——通智一刀扎进宝树的胸膛。

准噶尔军见势不妙，跪地请降。

通智从宝树胸口拔出刀，他阴沉着脸，对手下清军命令道："全部杀光!"

清军如砍瓜切菜一般，请降的准噶尔军横尸当场。

通智来到巴特身边甩镫下马："巴特，巴特……"

巴特两眼闭着，没有一点反应。

巴拉眼泪掉了下来："通将军，我三弟怕是不行了……"

通智叹了口气："巴特将军，你就安心地走吧，通智给你报仇了。"

回到清营，通智来到振武将军傅尔丹的中军大帐："将军，通智不才，与巴特深入敌后，偷袭准噶尔押粮队伍，叛将宝树被我杀死，一千多准噶尔军无一落网，敌军粮草全部被烧。"

傅尔丹大喜："好! 干得好! 军中没粮，军心必慌。我要给你记功。"

通智竖起耳朵往下听，可傅尔丹却问："巴特怎样了?"

这有点出乎通智的意料，他摇了摇头："巴特身中敌箭，伤势严重，恐怕……"通智没有说下去。

千金易得，一将难寻。傅尔丹双眉紧皱，他命军中所有医官都到巴特营中，不惜一切代价抢救巴特。

傅尔丹似对通智，又似自言自语："巴特战功卓著，骁勇无敌，不管他是生是死，我都要奏明皇上，擢升巴特为副都统，以激励三军。"

清朝的官阶分九品十八级，品级有"正"和"从"之别，"从"就是"副"。半年前，巴特升任参领，从三品，而副都统却是正二品武官。战场上，傅尔丹可以任命四品以下官员，三品以上必须奏请皇上批准。不过，这只是个程序，一般来说，只要上奏，基本没有问题。两年时间里，巴特由从六品升到从三品，现在又要由从三品跨过正三品、从二品，升到正二品。通智的眉头微微一动，欲言又止。

一晃十几天过去了，巴拉一直守在三弟巴特身边。帐帘一撩，通智走了进来。

巴拉忙站起身，向通智以手抚胸。

通智一摆手："坐吧，坐吧，我来看看巴特将军，他好些了吧？"

巴拉微笑："谢将军关心，三弟巴特已经脱离危险了。"

巴特侧卧在榻上，平静地看着通智。

巴拉对巴特道："老三，通将军看你来了。"

巴特没有表情。

通智一笑："巴特将军，我把你的情况详详细细地禀报给了傅尔丹将军，傅尔丹将军对你大加赞扬，刚才又向皇上上了一道折子，举荐你为副都统。"

巴特只是轻轻地扫了通智一眼，还是没说话。

巴拉睁大眼睛，三弟由从三品一下子升到正二品，这不是连升三级嘛！巴拉激动不已："三弟重伤在身，不能下榻，巴拉替三弟谢通将军，将军的大恩大德我们兄弟至死不忘！"

巴拉跪在通智面前，通智把巴拉扶了起来，又拍了拍巴拉的肩道："别客气，别客气。通智没别的毛病，就是爱惜人才。巴特是匹千里马，通智能当他的伯乐，感到无限荣光。"

巴拉难以自制，他望着榻上的巴特："老三哪，你都听见了吧？通将军可是咱们巴家的大恩人哪！"

巴特置若罔闻。

巴拉想打破这种尴尬局面，便对通智说："这次劫准噶尔军粮草，通将军也是功不可没，是不是也要升官呀？"

通智嘴角动了动，迟疑一下："可能是由从三品参领升为正三品参将。"

巴拉心中十分感激："这，将军只顾举荐我家三弟，却忘了自己。"

通智摇了摇头："咱们整个大营，我只佩服巴特一人。巴特年轻有为，战功显赫，前途不可限量。"通智眨了眨眼，"通某……通某有个不情之请，不知该不该说……"

巴拉忙道："请通将军吩咐。"

通智道："通某不揣冒昧，那就直说了。通智家有小女，年方一十八岁，虽说不是美如天仙，也是百里挑一，如果巴特将军不嫌弃，就许配给巴特将军如何？"

巴特突然说话了："通将军是正黄旗满洲，血统高贵，巴特不敢高攀。"

清朝是满人建立的天下，满人是女真人的一支。1635 年，皇太极改女真族为满洲族，辛亥革命后简称满族。满人分正黄、正白、正蓝、正红、镶黄、镶白、镶蓝、镶红八个旗，即八个军事行政单位。两黄和正白称上三旗，其他称下五旗。在上三旗中，正黄旗的地位最高。

通智满面带笑："巴特将军过谦了，论血统通某岂能与巴将军相比？说得近一点，巴特将军是蒙古土默特部阿拉坦汗的后代；说得远一点，巴特将军是成吉思汗的子孙，元朝皇家贵胄。要说高攀，也是通某高攀。"

藏传佛教中的达赖喇嘛是阿拉坦汗所封，阿拉坦汗把藏传佛教中的黄教引入草原，阿拉坦汗虽然不是全蒙古的大汗，他却因此成了雪山和草原的精神领袖。

在巴拉看来，能与正黄旗结亲，这是天上掉下来的好事。巴拉忙对通智说："通将军，我们兄弟父母辞世多年，长兄比父。我是巴特的大哥，这件事巴拉可以做主，我替巴特应下了。"

通智露出灿烂的笑容，巴拉送通智离去。

巴特虽然在鬼门关走了一遭，可他的头脑非常清醒：我和宝树安答的准噶尔军是面对面厮杀，可我中的箭却是从背后射来的。如果准噶尔军向我射箭，应射中我的前胸，不可能射中我的后背。在我大获全胜之际，通智出现，难道是他暗算我……

巴拉语重心长地说："老三，不要胡思乱想了。我知道，你和宝树亲如兄弟，他的死，你心中愧疚，可他毕竟不是你杀的。以后找机会我们好好照顾宝树的后人就行了。我们土默特部能走到今天实在不容易。通将军说得不错，我们的血统是高贵，可就是因为这高贵的血统，朝廷对我们防之又防。当年我们巴家本是世袭都统，可朝廷抓我们家一时之错，世袭都统被降为世袭章盖……"

从元世祖忽必烈创立元朝，到元顺帝妥懽帖睦尔退出北京，元朝共传十一帝。明朝建立，元朝亡而未灭，在草原上又传了二十二世，史称北元。北元与明朝并存，1634年，清军首先灭了北元。十年后，李自成灭了明朝。冲冠一怒为红颜，吴三桂放清兵入关，清兵赶走李自成，一统天下。

土默特是北元蒙古帝国实力最强的部落联盟，其下有十二个部落。鼎盛时，土默特部控制今天的山海关以西、新疆以东、榆林以北、蒙古国以南的广大地区。土默特部的第一位可汗就是阿拉坦，阿拉坦汗也译为俺答汗，他是成吉思汗的十七世孙。阿拉坦汗四传后，清太祖努尔哈赤崛起，北元蒙古末代大汗林丹急于把蒙古各部整合起来，抵御满人的扩张。可他施恩不足，施威有余。林丹汗的弯刀指向土默特，土默特部分裂，一支迁往今天的辽宁西部，归顺了努尔哈赤的继承者皇太极，史称东土默特。林丹汗大败土默特部，进入土默特部中心归化城，也就是今天的呼和浩特，土默特部溃散。

螳螂捕蝉，黄雀在后。皇太极率兵杀向林丹汗，林丹汗败走青海，抑郁而终。土默特收拢部众，归顺皇太极，重新回到归化城，史称归化城土默特。

清朝初期，大部分主动归降的蒙古各部，都参照八旗编制置旗、设札萨克。

札萨克是蒙古语，意为执政官，是清朝对蒙古族和满族人授予的爵位，包括汗、王、贝勒、贝子、公、台吉等。札萨克均有封地，受当地办事大臣或参赞大臣节制。汗、王、贝勒、贝子可称"王爷"。

札萨克是一旗的最高军政首领，在札萨克封地内，山川、河流、牧场、田地均归其所有，且不向政府担负任何徭役、税赋。百姓统归札萨克管辖并向札萨克交纳赋税，承担徭役，札萨克对他们有生杀予夺的权力。

清军赶走林丹汗，清廷把土地封给土默特部，设土默特左右两旗，土默特左右两旗南北410里，东西350里，领地与阿拉坦汗时期不可同日而语。不但如此，清廷认为归化城土默特部不是"带地投诚"，因此，不设札萨克，而是设世袭都统。八旗的旗长叫固山额真，固山额真汉译为都统或旗长，是从一品武官。世袭都统的地位远不及札萨克。

巴拉、巴特兄弟的老祖是杭高，杭高是土默特右旗第一任都统，他去世后，其长子巴桑袭任都统。顺治四年，也就是 1647 年，清军征讨外蒙古，巴桑押送军粮，因为天降大雨，道路泥泞，粮车延误，巴桑被革职查办。巴家由从一品世袭都统，降为从四品世袭章盖。后来，土默特两旗都统裁撤，取而代之的是副都统。

今天，内蒙古包头和呼和浩特的巴氏家族几乎都是杭高的后代。

巴拉长叹一声："七十多年了，我们巴家再也没人做过副都统这么大的官。现在，巴家与正黄旗满洲的通智将军结亲，这是何等荣耀！老三哪，我们应该感谢人家通将军，可不能无中生有，冤枉好人。"

巴特怀疑通智的为人，他若有所思："大哥，如果我娶了通智的女儿，有朝一日我背后这支箭水落石出，要是通智射的，我该怎么面对他？"

巴拉根本不相信："不可能！"

巴特坚持道："我是说如果。"

巴拉思索道："蒙古人有草原一样的胸怀，还有什么不能包容的吗？"

第二章

为了这件事，我在佛前忏悔了七十三年，七十三年哪！今天，我终于看到我的后人重新当上都统，我可以瞑目了，我可以去见父亲了……

准噶尔军粮草被烧，又逢沙俄进入准噶尔地区。准噶尔可汗为了避免两线作战，派人与清廷谈判。康熙皇帝担心此时加大对准噶尔的军事压力，可能把准噶尔汗国逼向俄国，于是，决定撤军。

仗不打了，巴拉、巴特兄弟带着所部军兵返乡。

巴拉是土默特右旗第六甲沙尔沁章盖衙门的世袭章盖，沙尔沁就是今天内蒙古包头市东河区沙尔沁镇。章盖是蒙古语，汉译为佐领，满语为牛录。

清朝的八旗编制是：一个牛录三百军兵，五个牛录为一甲，五个甲为一旗。所以，一个旗七千五百人。土默特左右两旗虽然采用这种建制，但与满八旗有所不同。土默特左右两旗各设六个甲，每个甲有五个章盖，每个章盖一百五十军兵。

章盖手下军兵虽少，却是从四品武官，而且，章盖还管理百姓，负责着一方政务，比如，清查人口，统计牲畜，化解民间纠纷等。

巴拉是巴氏家族的长门长子，因父亲早年阵亡，十八岁时承袭章盖职务。

早在明朝时期，土默特蒙古人就与逃亡到塞外的汉人接触，他们接受了中原文化，经过一个多世纪的融合，归化城土默特蒙古人基本告别了游牧生活，大部分驻牧、定居。

沙尔沁是个只有十几户人家的小村子，这里背靠大青山，前面是广阔的大草原。章盖衙门依山坡而建，由南至北，地势逐渐升高，喻示步步登高。

大门两侧有一对石狮子，穿过大门，眼前是一面照壁，俗称影壁墙。古人认为孤魂野鬼常常溜进宅子，如果有影壁墙，鬼看到自己的影子，就会被吓走。从风水上讲，照壁可以阻挡邪气，使邪气不能直冲厅堂或卧室。

照壁墙面上一般都雕刻精美的图案，有钱人家刻跪着的鹿——伏鹿，取"福禄"谐音，以图祥瑞。官宦人家通常刻的是官阶图案。清朝分文官和武官，文官用鸟来表明官阶：一品仙鹤，二品锦鸡，三品孔雀，四品大雁，五品白鹇，六品鸬鹚，七品鸳鸯，八品鹌鹑，九品练鹊。武官用兽来表明官阶：一品麒麟，二品雄狮，三品豹子，四品猛虎，五品黑熊，六品彪，七品、八品犀牛，九品海马。

章盖衙门照壁的图案是猛虎，这表明章盖的品级。过了照壁是大堂，大堂的后院是巴氏家族的住宅。正房是巴拉、巴特的奶奶，东西厢房是晚辈和仆人。

巴拉、巴特兄弟俩返回家乡途中，满目凄凉，旷野上的草只有三寸高，就像婴儿的头发稀稀疏疏。这与出征前碧草连天、牛羊成群的景象形成巨大反差。

得知亲人胜利归来，巴氏族人扶老携幼迎了出来。

巴拉和巴特老远就跳下马，兄弟二人来到奶奶面前双膝跪倒。

太夫人手里捻着佛珠，眼中含泪，老人一手拉一个："我的好孙儿，你们可想死奶奶了。快，都起来，都起来！让奶奶好好看看。跟随你们一起去的将士都回来没有？"

兄弟俩站起身，巴拉道："奶奶，跟随我们从征的将士阵亡四十多人，其他的也都回来了。"

太夫人叹了口气："巴拉呀，你可一定要上奏朝廷，好好安抚这些将士的家属。你们打了两三年仗，土默特旱了两三年，草原没草，牛羊臕情差，产崽少，朝廷要是没有抚恤，他们日子就没法过了。"

巴拉看了一眼巴特："奶奶，这事交给巴特吧，他现在已经是我们土默特右旗的副都统了。"

太夫人眼中立刻放出一道光，她盯着巴特："我的孙儿，你当上副都统了？"

巴特点点头："是，奶奶。"

太夫人双手合十，神情异常激动："阿弥陀佛，感谢长生天，感谢神佛，感谢列祖列宗。七十多年了，都统又回到我们家了！巴特，你可光宗耀祖了！"

巴特谦逊地笑了笑。

巴拉又说："奶奶，三弟不但升了大官，还有了媳妇，媳妇是正黄旗满洲。"

巴拉把通智许配女儿的事告诉了太夫人，太夫人连声道："这真是喜上加喜，喜上加喜呀！快进屋，快进屋，你们先洗个澡，明天一早，到家庙给神佛上香，给列祖列宗上香。"

巴氏家族的家庙叫包头召，汉名福徵寺。召是藏语，是喇嘛寺院的意思。包头召背倚大青山，南瞰黄河，左挽博托河，右抚一望无际的大草原，至今仍矗立在包头市东河区的北梁上。

博托河就是包头市内的东河。

包头召是汉藏结合式的喇嘛教寺院，前殿供奉着佛教创始人释迦牟尼和藏传佛教黄教始祖宗喀巴大师的神像，后院西北角有三间祠堂，供奉着巴氏家族的祖先。

包头召有一老一少两个喇嘛，因为是家庙，所以，这两个喇嘛都是巴家人。包头召老喇嘛法名叫嘉愚。嘉愚喇嘛须眉如雪，脸上皱纹如同风化的岩石，满是岁月的沧桑。嘉愚喇嘛年纪之长，就连太夫人也不清楚。当年太夫人嫁到巴家时，嘉愚喇嘛就在后院念经。那时的嘉愚喇嘛就是个白胡子老人，不同的是当年嘉愚喇嘛的眼睛犹如祖先灵位前的灯，虽然沉默不语，却很明亮。后来巴家在博托河岸边建起了家庙，巴家的后人便把祖先的灵位和佛像一同请进了包头召。

包头召的另一个喇嘛叫道尔吉。道尔吉是藏语，意为头盔。当时信仰喇嘛教的蒙古人起藏名者很普遍。道尔吉是巴特的二哥。

蒙古民族信仰喇嘛教，清朝支持鼓励蒙古民族大建召庙。同时规定，蒙古男丁"三出一，五出二"必须当喇嘛。也就是说，家里有三个男孩，就得一人出家；有五个男孩，就得两人当喇嘛。巴特兄弟三人，因此，道尔吉成了喇嘛。

道尔吉喇嘛跑进禅房，面向嘉愚喇嘛："老祖宗，天大喜讯！天大喜讯！"

嘉愚喇嘛虽是出家人，但因辈分太高，巴家人都尊称他老祖宗。

嘉愚喇嘛正在念经，闻声停了下来，他眼神迷离："什么事啊？"

道尔吉喇嘛笑逐颜开："老祖宗，巴特在科布多战场荣立军功，当今皇上封他为副都统，他和大哥胜利而归，马上就要来庙里敬佛祭祖了！"

嘉愚喇嘛的眼睛由小变大，由暗变明："你说巴特当了副都统？"

"正是！正是！巴特不但当了副都统，一个正黄旗满洲的大官还把女儿许配给他了。"

"真的？"

"千真万确。"

"巴特在哪儿了？"

"刚从沙尔沁章盖衙门出来，一会儿就到。"

嘉愚喇嘛道："快！快扶我上香。"

道尔吉把嘉愚喇嘛搀到前殿，嘉愚喇嘛双手颤抖，他点燃三炷香，跪在佛像前："谢佛祖保佑！谢佛祖保佑！巴家后继有人了。"

从沙尔沁到包头召三十里，巴拉、巴特骑着高头大马，带着卫队来到寺院。

道尔吉搀着嘉愚喇嘛迎出门外，见巴特头戴红缨帽，帽上是红珊瑚顶珠。上身着深蓝色的蟒袍，下衬江牙海水，脚上穿着一双崭新的朝靴，前后胸是雄狮补子。巴拉和巴特的着装类似，不同的是，他帽上是青宝石顶珠，前后胸是猛虎补子。

顶珠也叫顶子或顶戴，与补子类似，也是区别官员大小的标志。无论文官还是武官，帽子上都配有顶珠。一品红宝石，二品红珊瑚，三品蓝宝石，四品青宝石，五品水晶，六品砗磲（chēqú），七品素金，八品镂花阴文金顶，九品镂花阳文金顶。

巴拉和巴特跳下马，兄弟俩紧走几步撩袍跪倒，给老祖宗磕头。

嘉愚喇嘛伸出松树皮一样的手，抚摸着巴特帽上的顶珠，又绕巴特转了一圈。嘉愚喇嘛仔细看着巴特前后胸的补子，口中喃喃道："二品，真是二品！巴特真是都统了！"

巴特告诉老祖宗嘉愚喇嘛，自己不是都统，而是副都统。

嘉愚喇嘛脸上的皱纹都开了，眼睛如同午时的太阳一般灿烂："我知道，都统早就裁撤了，现在是副都统行使以前都统的权力。我们巴家又有都统了，都统又回来了！我终于等到今天了！我终于等到今天了……"

突然，嘉愚喇嘛身子一软，瘫倒在地。

"老祖宗！老祖宗……"

兄弟三人把嘉愚喇嘛抬进禅房，连声呼唤。

嘉愚喇嘛慢慢睁开眼睛，老人有气无力："孩子，你们都不知道我的名字，我现在告诉你们，我就是巴桑，就是当年被削去世袭都统职务的巴桑，就是巴家的罪人巴桑啊……当年，父亲杭高给我取个乳名叫博托，希望我长大之后成为一个顶天立地的大英雄。可是我没有保住巴家的世袭都统，我愧对父亲，愧对你们这些子孙哪！为了这件事，我在佛前忏悔了七十三年，七十三年哪！今天，我终于看到我的后人重新当上都统，我可以瞑目了，我可以去见父亲了……"

嘉愚喇嘛头一歪，笑容在脸上凝固了。

"老祖宗！老祖宗……"

嘉愚喇嘛声息皆无，含笑而终。

太夫人得知嘉愚喇嘛圆寂的消息，心潮翻滚："为了这一天，老祖宗苦苦等了七十三年，巴特呀，你们可千万不要辜负老祖宗的希望，一定要重振我们巴家呀!"

一个月后,巴特到归化城赴任。

通智原在锦州城任职,他的家眷都在锦州。清军与准噶尔停战后,通智回到家乡,他把女儿桐花带到归化城。建威将军申慕德驻在归化城,管理漠南的蒙古各部。在他的主持下,巴特和桐花结为夫妻,通智心满意足。

婚后第三天,巴特带着夫人桐花回到沙尔沁章盖衙门。

章盖衙门彩灯高悬,鞭炮齐鸣,巴家人都换上了新衣服。

太夫人居中而坐,老人项挂佛珠,手里拿着二尺多长的大烟袋,烟袋锅里青烟袅袅。巴家族人按辈分两旁陪坐,巴特带着桐花走上前。人们见桐花眉如黛,眼似波,皮肤白皙细嫩,体态端庄匀称。头上梳的是满人最流行的"大京样"。这种发式是把头发在头顶盘成圆髻,圆髻上是黑绒纱头板。头板底部呈碗状,扣在圆髻上,用头发缠绕固定。头板正中镶着一朵大绢花,脑后余发结成一个鸭舌状的长扁髻。因为这种发式是满人入京后流行起来的,所以叫"大京样",也叫"旗头",也就是满洲八旗女人的发型。桐花的头板右侧挂着一个红色的长丝穗,左鬓插簪,簪下坠花。

桐花耳戴翠环,左右手的无名指和小指各戴一个长长的玳瑁指甲套。身上穿着长及脚面的大红旗袍,衣襟、袖口、领口、下摆都绣着精美的花边。桐花的脚挺小,但比中原女子的缠足要大一些。缠足是汉族女子的专利产品,满族和蒙古族女子是不缠足的。桐花脚上是一双三寸多高的花盆底绣鞋,鞋面上饰以珠宝,鞋头散着红缨。人本来就非常漂亮,再配上当时最为新潮的服饰,桐花更显得亭亭玉立,风姿万种。

巴拉夫人锡兰是长门长媳,由她引领桐花拜见巴家长辈。

锡兰首先把桐花带到太夫人面前:"这是奶奶。"

巴特撩衣跪倒,桐花也随之跪下,她用蒙古语道:"孙媳给奶奶叩头。"

太夫人的笑容如鲜花一般绽放:"哎哟,我的孙媳妇,蒙古语说得这么好。快起来,起来。"

太夫人拿出一个小木匣:"这几年大旱,咱家不如从前了,奶奶没有什么可送的,这个就表示奶奶的一点心意吧。"

桐花接过木匣打开一看，里面是根金钗。

桐花笑得有点勉强，巴特一拉她的衣襟，小声道："还不谢谢奶奶？"

桐花这才说："谢谢奶奶。"

巴家人对桐花的举动有些不解，当面打开贺礼，这也太心急了吧？难道这是满人的风俗吗？没听说呀！

锡兰见桐花还在看这根金钗，她咳嗽一声，然后，一指太夫人右边的一对夫妻："这是二伯伯，这是二婶。"

土默特蒙古人把叔父叫伯伯，把伯父叫大爷。二伯伯就是二叔。

太夫人共生了六个儿子，长子是巴特的父亲，巴特的父亲承袭章盖，在一次领兵平叛中战死，不久，巴特的母亲也去世了。太夫人的五子、六子出家当了喇嘛，如今只有二子、三子、四子在老人膝下尽孝。

桐花又随巴特跪下："二伯伯、二婶。"

这对夫妻相互看了一下，二婶把一个红布包递给桐花："侄媳妇，一点小东西送给你们，祝你们夫妻恩恩爱爱，早生贵子。"

桐花把布包也打开了，里面是一对金耳环。耳环不大，上面是个挂钩，下面是两条小金鱼。提起挂钩，一对小金鱼左右摇摆，如活的一般。

桐花面无表情："哟，这可挺值钱，能换两只羊吧？"

一句话把二伯伯、二婶臊得满脸通红，太夫人脸上绽放的鲜花也凋谢了。

巴特一捅桐花，低声斥责："不要胡说！"

桐花白了巴特一眼："我也没说这耳环不好，你急什么呀？"

巴特只得圆场："这耳环真漂亮，谢谢二伯伯，谢谢二婶。"

锡兰再往下介绍："这是三伯伯、三婶。"

"三伯伯、三婶。"桐花僵硬地笑了一下。

三伯伯、三婶不自然地笑了笑："啊，啊，侄媳妇……这，这点东西，实在拿不出手，你，你就收下吧。"

桐花把三婶的红布包也打开了，里面是一只玉镯。

"哟！我好像有两只手，一只玉镯我是戴左手，还是戴右手呢？"桐花冷嘲热讽。

三伯伯、三婶张着嘴，十分尴尬。

锡兰知道四伯伯、四婶的贺礼也不会很贵重，如果再往下介绍，不知桐花还要说出什么刻薄的话。锡兰迟疑一下，她用询问的目光看太夫人。

太夫人使劲儿地抽了两口烟："孙媳妇啊，蒙古人以放牧为生，朝廷对蒙古人实行'官无俸，兵无饷'制度，除了你大哥巴拉是世袭章盖有俸银外，其他人没有一文钱俸禄，朝廷只给一些蒙丁地养家糊口。蒙古人不习耕种，加之这几年大旱，牛羊大量死亡，各门的日子都挺紧。不管东西多少，都是亲人的心意。"

桐花挤出一丝微笑："奶奶，我不是嫌少，我是觉得有点多了。"

人们不知桐花说的是正话，还是反话。

锡兰只得接着介绍："老三媳妇，这是四伯伯，这是四婶。"

四伯伯、四婶犹犹豫豫地把贺礼递过去，巴特怕桐花再次当众打开，他先接了过来："谢谢四伯伯，谢谢四婶。"

拜过长辈，巴特和桐花回到西厢房，巴特责怪道："你也太过分了，当着奶奶和长辈的面，你居然嫌人家送的东西少？"

桐花嘴一撇："怎么，我说错了？他们送的本来就不多嘛！我是正黄旗满洲，官宦家的小姐，你们家也是蒙古贵族，你又是副都统，就那么点东西，打发要饭的还差不多。"

巴特耐着性子解释："奶奶不是说了吗？这几年家境艰难，你就不能体谅一下别人的难处吗？"

桐花嗤笑："堂堂的土默特蒙古贵族，元朝皇室的后裔，阿拉坦汗的子孙，拔根汗毛都比别人腰粗，糊弄谁呀？"

巴特有点不耐烦："大旱，大旱！家境艰难，家境艰难！你听明白没？"

桐花白了巴特一眼："家境艰难还要娶官宦人家的小姐？干脆找个牧羊女得了。"

巴特急了，他手指桐花的鼻子："你给我听清楚，不是我要娶你，是你阿玛非要把你嫁给我！你要是嫌我们家穷，我现在就成全你！"

桐花张口结舌。

第三章

　　全家人都看着巴特和桐花，桐花洋洋自得，巴特却觉得每个人的目光都像锥子一样扎在自己脸上。

　　天蒙蒙亮，"当当当"，上房传来太夫人敲击铜盂的声音。

　　敲铜盂是巴氏家族的家规，除了病人和学龄前的孩子，所有人听到铜盂声都得马上穿衣下地。服侍太夫人的使女要给老人打水、梳头、装烟，太夫人坐在炕上，等待儿子儿媳、孙子孙媳前来请安。然后念书的念书，练武的练武，做饭的做饭，扫院子的扫院子，收拾屋子的收拾屋子……

　　服侍太夫人的使女是个中年人，因为女儿生孩子刚刚离开巴家，这几天都是由锡兰伺候太夫人。

　　西厢房。巴特一边穿衣服，一边对桐花说："哎，快起来。"

　　桐花睡眼惺忪："这么早起来干什么？"

　　巴特道："你是新媳妇，得给奶奶打洗脸水、梳头。"

　　桐花愠道："你烦不烦，那么多下人，为什么让我去？"

　　巴特解释："这是我们家的规矩，刚过门的媳妇必须尽一个月孝心。一个月之后，才由下人做。"

　　桐花口气生硬："你们家哪来这么多规矩？我不去！"

　　昨天巴特就不痛快，今天桐花又这么蛮横，巴特真想把她揪起来。可奶奶就在上房，一旦被老人听到，肯定生气。

巴特只得把火往下压了压，他穿好衣服洗完脸，在地上等着桐花。

天越来越亮，巴特推桐花："家里人都起来了，就等你了，你总得给我点面子吧？"

桐花极不耐烦："别碰我！"她使劲儿地翻了个身。

巴特来到房门前，他推开一条缝往上房看，见几个伯伯婶子及大哥巴拉陆陆续续地向奶奶的屋走去。

巴特又叫桐花："桐花，家里人都去了，你再不起来就来不及了。"

桐花"扑棱"坐了起来："谁愿意去谁去，我不去，我就不去！"

巴特的火"腾"就上来了，他刚扬起巴掌，桐花来劲儿了："你要打我？给你打，给你打！你打死我吧，你打死我吧！"

说着，桐花就往巴特身上撞。

桐花的使女桐雪是她从锦州带过来的，桐雪忙过来劝："小姐，是该起来了，别吵了，别吵了，来，我给你穿衣服。"桐雪又对巴特说，"姑老爷别生气了，小姐这就起来，这就起来。"

巴特把手放下了，不再正眼看桐花。

桐花手指巴特，大叫："我告诉你，我是正黄旗满洲，我只伺候皇上、皇后，让我给别人洗脸梳头，没门儿！"

站在上房门口张望的锡兰听得清清楚楚，她的心"咯噔"一下。锡兰怏怏然，转身进屋，她笑着对太夫人道："奶奶，巴特媳妇身子不舒服，还是我服侍您吧。"

太夫人没有说话。

桐雪好不容易劝桐花穿上衣服，帮桐花梳洗打扮一番。当桐花和巴特来到饭桌前时，一家人早就按辈分坐好了。全家人都看着巴特和桐花，桐花洋洋自得，巴特却觉得每个人的目光都像锥子一样扎在自己脸上。

饭后，回到西厢房，巴特尽可能地把话说得柔和一些："按照我们巴家的家规，新媳妇只有祭过祖先，才算是巴家人。一会儿，你跟我去家庙，行吧？"

桐花看了看巴特，得意地说："这话听着还算顺耳，那我就陪你去一趟。"桐花又问了一句："家庙在哪儿？"

巴特道："在博托河西岸。"

桐花白了巴特一眼："我哪知道什么博托河？你就说离这儿多远吧。"

巴特道："差不多三十里。"

桐花声音很高："这么远！我可不坐车，车太颠，我得坐轿。"

巴特道："坐轿太慢，中午也到不了。"

桐花往椅子上一坐："中午到不了怕什么，天黑之前到就行呗。"

巴特的火又撞了上来："祭祖都是在上午，哪有下午的？"

桐花不以为然："那我就不管了，反正我既不骑马，也不坐车，要不你就一个人去。"

祭祖不能不去，去晚了奶奶那里又交代不了。巴特实在没办法，只得找了四个脚力好的轿夫。巴特骑着马，桐花坐着轿，两个人来到包头召。

道尔吉喇嘛带巴特和桐花首先来到前殿，巴特正要给佛像敬香，可抬头一看，供桌上三个供盘空了两个。

巴特问道尔吉喇嘛："二哥，这供盘怎么空着？"

道尔吉喇嘛也很纳闷，他知道巴特要来，大清早放的供品，怎么少了两盘呢？

桐花接过话茬："怎么这么笨？肯定是耗子吃了呗！"

道尔吉喇嘛双手合十："善哉！善哉！"

正说着，佛像后传来"窸窸窣窣"的声音。桐花自以为是："怎么样，我说有耗子吧？"

巴特几步转到佛像后，见一个女子正在狼吞虎咽地吃着供品。一见巴特，女子惊慌失措。

女子二十一二岁，身着蒙古袍，衣服又脏又破。女子柳眉细目，颧骨稍高，脸型椭圆，脑后梳着两条辫子，虽然脸上满是尘垢，可仍掩不住白皙的皮肤。

辫子是蒙古女子成婚与否的标志。未婚蒙古女子通常梳十几条又细又长的辫子，结了婚只能梳两条。显然，这是已婚女子。

巴特问："你是谁，怎么在这儿？"

一听这话，已婚女子眼里放出两道利剑一样的光芒："我丈夫被人杀害，婆家没人，无家可归。"

巴特问："你丈夫被谁杀害？"

已婚女子犹豫一下："被他一个薄情寡义的安答。"

巴特一皱眉："杀人偿命。你丈夫的安答没被绳之以法吗？"

已婚女子迟疑一下："没有……"

桐花和道尔吉喇嘛两个人也走了过来。

桐花嘴一撇："哟，这是什么家庙啊，里面还藏女人！"

道尔吉喇嘛脸色难看："阿弥陀佛，罪过，罪过……"他对已婚女子说，"女施主，你走吧。"

已婚女子走到殿外，她回过头来看巴特："你是谁？"

桐花接过话："谁？说出来吓死你，这是我的夫君，土默特右旗都统巴特将军。"桐花把副都统的"副"字省略了。

已婚女子面露异样："你就是刚从科布多战场上回来的那个巴特？"

桐花眼睛一瞪："大胆！臭要饭的，我夫君的名讳也是你叫的？"

巴特朝桐花一摆手，对已婚女子道："嗯，就是我。"

已婚女子细眉往上挑了挑，眼睛转了转，她向巴特走了半步，却又后退，一直退出庙门。巴特莫名其妙，他想多问几句，但又怕桐花出口伤人。

道尔吉喇嘛重新摆上供品，巴特和桐花拜了佛，又到后面祠堂祭了祖。

道尔吉喇嘛把巴特和桐花送出包头召，巴特刚要上马，已婚女子跑了过来。

桐花怒斥："要饭的，你跟着我们干什么？"

大清律规定，各旗之间不能越旗游牧、耕种、往来、婚嫁。因此，巴特认为，这个已婚女子一定是本旗人。巴特从怀里拿出几块碎银子："不要跟我们了，这个你拿着，回家告状，为你丈夫申冤吧。"

桐花一把夺过银子："你们家对我那么小气，你对一个臭要饭的这么大方。哼，我还没钱花呢！"

巴特食指在鼻尖上挠了挠，没说出话来。

已婚女子对巴特说："我不想告了，只想给都统夫人当个下人，有口饭吃就行。"

桐花妖里妖气："我可不缺下人，我有使唤的丫头。"

已婚女子跪在巴特面前："都统大人，行行好，收下我吧，让我干什么都行。"

巴特道："你还是给你丈夫申冤吧，不能让杀人者逍遥法外。"

已婚女子苦苦相求："都统大人，我真的不告了，就算官司打赢了，我丈夫也活不过来，你就收下我吧。"

既然已婚女子不告了，也不能勉强人家。巴特一想，奶奶倒是缺一个使女，要不让她给奶奶当丫头。已婚女子当即答应。

回到沙尔沁章盖衙门，巴特把已婚女子领到太夫人面前。太夫人一边捻着佛珠，一边问已婚女子："你叫什么名字?"

"回太夫人，我叫哈珠。"

"多大了?"

"今年二十一岁。"

"是土默特右旗的吗?"

"是。"

"哪个甲的?"

"……二甲的。"

"家里还有什么人?"

"家里人都死了。"

"哟，真是可怜……"

太夫人让锡兰找来干净衣服，哈珠洗过澡，换上衣服，再一看，哈珠两眼有神，端庄秀丽，很是俊俏，太夫人心中欢喜。哈珠给太夫人装了一袋烟，点着火。太夫人品着烟，看着哈珠，连日来心中的不快仿佛减了几分。

桐花住了几天，就嚷着要回归化城。巴特本想多住几天，可是，每天和桐花磕磕碰碰，因为怕奶奶听见，吵不能吵，骂不能骂，与其这样忍气吞声，还不如回归化城。到了归化城，无论她怎么吵，怎么闹，奶奶听不着，家里人看不到。

巴特辞别家人，和桐花出了章盖衙门。走了没有二里地，迎面围上二十多人。巴特一看，都是随自己一起征战科布多的老兵。现在不打仗了，他们都成了普通百姓。

老兵们跪倒："都统老爷，求您把我们收下吧。"

巴特把众人一一扶起："都起来，都起来，这是怎么了？"

有个瘦高个儿道："都统老爷，我们打了两三年仗，家里旱了两三年。朝廷给我们的蒙丁地虽然不少，可我们不会种地，就靠放牧。如今草原上的草都被牲畜啃光了，家里的日子实在过不下去，求都统老爷赏口饭吃。"

巴特眉头一皱："你们这么多人，我的副都统衙门安排不了啊！"

老兵们又跪下了："都统老爷，我们都是你的部下，看在我们一起出生入死的情分上，救救我们，救救我们的家人吧。"

桐花不高兴了："行了行了，我们自己还管不了自己呢，哪管得了别人。"

巴特瞪了桐花一眼，他再次把众人搀起："各位兄弟，巴特不是不想帮你们，这么多人，巴特确实安排不了。要不这样吧，我回去马上给朝廷上道折子，请朝廷拨银两赈灾，让各位兄弟先渡过难关。"

桐花像轰小鸡一样："让开！让开！别耽误我们回家。"

回到归化城，巴特立刻上疏给朝廷，朝廷的赈灾银两很快拨了下来。然而，大旱不仅是草原，山西、陕西都遭了旱灾，无数汉人成群结队地涌向草原。

包头召一带土地肥沃，博托河横贯其中，一些汉人在这里搭起窝棚。一开春，他们就刨地开荒。因为有博托河水浇灌，苗情十分喜人。

世袭章盖巴拉忐忑不安，按大清律，蒙古各旗之间划地而居，不经朝廷许可，任何人不能擅自走出本旗。蒙汉之间的规定也很严，汉民不能到蒙民的草原上来，蒙民也不能到汉民的聚居地去。现在汉民来到博托河沿岸种地，这要是被朝廷知道，自己的世袭章盖可就危险了。

博托河水虽然比三年前小了很多，但依然像一条洁白的哈达，飘在土默川平原上。

巴拉骑着马，带着几个衙役来到河边，见四五个窝棚像垂垂老者，佝偻在博托河两岸。巴拉来到一个窝棚前，见地上挖了个灶，灶上的锅盖着一个破盖帘，旁边的碗和盆不是缺边儿，就是少沿儿。窝棚里铺着草，一个周岁大的孩子睡在草上，身上盖着一块破麻袋片。

一男一女跑来，男的上身赤裸，骨瘦如柴，下身穿着一条仅能遮住膝盖，如同大裤衩子一样的裤子，脚下没鞋，五个大脚趾像干树杈子似的分散在地上。女人衣服虽然没有露肉，但补丁擦着补丁，一双大脚板格外显眼。

当时中原女子绝大多数都缠足，不裹脚很难嫁出去。

缠足在中国有悠久历史，男人们把缠过的脚称为"莲"，而且还以脚的大小分为若干等，三寸为金莲，四寸为银莲，大于四寸的为铁莲，没有缠的脚那便是等外货了。

缠足对于女人来说是件非常非常痛苦的事。女子一般从五六岁开始缠足，直到成年，脚不长为止。

存天理，灭人欲，这是宋朝以来汉人的道德标准。缠足正好与之相反，是灭天理，存人欲。孩童的脚要生长，骨骼要发育，这是天理。缠足却不让脚生长——把关节缠脱臼，把趾骨缠断，把脚缠出疮，把肉缠出脓，可想而知，缠足要勒多紧！

我们都知道"穿小鞋"难受，领导给的小鞋也不过三年五载，可女子缠足一缠就要十几年。足不但要缠，缠了还要走路，女孩缠足走路，那简直就是在受酷刑。"小脚一双，眼泪一缸"就是其真实写照。

明末，李自成打进北京，吴三桂把清兵放入山海关。清军入关下了一道剃发令，敕令中原男子必须剃发，剃成满人的头型，而且"留发不留头，留头不留发"。当中原男人的头堆积如山的时候，他们屈服了。女性则视死如归。清朝入主中原之初，也曾极力反对汉族女子缠足，但我们勤劳勇敢伟大的中原女性坚决抵制，表现出一不怕疼，二不怕死，把死当成回家一样的大无畏英雄气概——你砍我的头可以，不让我缠足办不到！

瘸子通常是一只脚有残疾，而缠足是双脚残疾。清统治者逐渐发现，缠足这种自虐行为对清廷大有好处。缠过足的女子齐步走不行，跑步走不行，骑马不行，下田劳动不行，打架就更不行了，一个大脚片满族女人干趴下十个中原女子没问题。缠足除了不影响生孩子和绣花之外，什么都影响。但最大的好处还不是这些，当汉族男人在前线与清军殊死搏斗时，只要派几个人去抄他们的家眷，那些小脚婆姨一个也跑不了，一抄一个准儿。当清军把汉兵汉将的女儿、媳妇、母亲押到阵前，那些汉兵汉将多半放下武器，俯首归降。

1668 年（康熙七年），清廷不再要求中原女子放足了。然而，这件事一度被某些超一流的道德真君渲染为"男降女不降"——看，我们汉族女性比男人还有气节！

这对女性是莫大的鼓舞，女子缠足之风更猛了，简直超过十二级台风！社会各阶层的汉女，横向到边，纵向到底，比着赛地缠足，你四寸，我就三寸；你三寸，我就二寸五。脚的大小也成了评判女子美与丑的重要标准，男人娶媳妇，都以女子大脚为耻，小脚为荣。

不过，也有极个别不缠足或缠了之后又放开的，但那绝大多数都是母亲早逝、没有人管的女孩。

缠足的女人手不能提，肩不能扛，所以，古代中原女子都把终身托付给了男人。现在则不然，你去问问那些未婚女郎，很少有人说要把终身托付给某个男人的。这与女人缠足有些关系。

大裤衩子男人和补丁女人来到巴拉近前，两个人手足无措。

巴拉的心一酸，塞外的春天寒意未消，大裤衩子男人居然光着脊梁，赤着脚。

衙役用蒙古语呵斥道："你们违反大清律，擅自来到草原上开荒，还不跪下！"

第四章

桐花不守巴氏家规，不尊重长辈，总是以正黄旗满洲自居，处处高人一等，巴家人敢怒不敢言，太夫人心里难过，表面还得装作什么事也没发生。

这对男女愣愣地看着衙役，巴拉见他们没听懂，就用汉语说了一遍。这对男女"扑通"就跪下了，两个人哆哆嗦嗦："老爷，我们没偷没抢，可没干坏事呀！老爷。"

巴拉口气平和："没人说你们干坏事。大清律规定：蒙汉划地而居，汉民不得到蒙疆耕种，蒙民不得到汉地放羊。这里是蒙民的牧场，要是被朝廷知道了，你们轻则挨板子，重则坐牢。本官也不罚你们，你们赶紧拆窝棚回家吧。"

"梆梆梆"两个人给巴拉磕响头，大裤衩子男人道："大老爷，我们是山西的草民，山西三年大旱，颗粒无收，我们实在活不下去了，这才走西口出来逃荒，好不容易找到这么一块安身立命的地方，求大老爷开恩哪！"

补丁女人也说："大老爷，蒙古人都信佛，佛家慈悲为本，宽容为怀。我们要是回去，肯定饿死。现在秧苗都长出来了，再过几个月粮食就下来了，我们就能活命了，求大老爷发发善心，给我们一条活路吧。"

巴拉直挠头："不是我不发善心，是朝廷有严格的规定。"

大裤衩子男人一个劲儿地说好话:"大老爷,我们汉人说:金窝银窝,不如自己的狗窝。如果有一线生路,谁愿意离开自己的家呀!可村子里的树皮都剥光了,连草根都吃完了。博托河两岸还能找点野菜,还能挖到沙葱,我们还可以勉强活下去,要是让我们回去,我们就只有死路一条了!"

补丁女人哭着说:"大老爷,我们逃荒时身上还有二斤种子粮。路上,我们七天没吃一粒米,饿得都站不起来了,可我们宁可啃草根、吃观音土,都不舍得吃一粒种子。大老爷,你要实在让我们走,就宽限我们几天,等苗长高一点,我们拔了苗,这些青苗就差不多够我们路上吃了,我们就不会饿死在路上当野鬼了……大老爷。"

"呜呜呜"这对夫妻失声痛哭。

巴拉的眼泪在眼圈里直转,赶他们回去,那就是把他们往死路上逼;不赶他们回去,我向朝廷怎么交代呢?

"哇哇哇"窝棚里的孩子大哭。

补丁女人钻进窝棚,抱起孩子:"别哭,别哭……"补丁女人不让孩子哭,她的眼泪却不停地往下掉。

大裤衩子男人对窝棚里的女人说:"把锅里的麻雀蛋给孩子吃了吧。"

补丁女人抱着孩子来到灶边,掀开锅,里面仅有三枚麻雀蛋。补丁女人从锅里捞出,剥下蛋皮,蛋皮却不扔,而是攥在手里。她把麻雀蛋放在孩子嘴边,孩子吃着麻雀蛋,止住哭声。

补丁女人看了看手中的蛋皮,来到大裤衩子男人近前,她把蛋皮往大裤衩子男人手里塞,大裤衩子男人推开补丁女人的手,补丁女人再次把蛋皮塞给大裤衩子男人,夫妻俩推来推去。

巴拉纳闷,不知他们是什么意思。

孩子吃完麻雀蛋,又哭了起来。

大裤衩子男人说:"给孩子吃吧。"

补丁女人把蛋皮放到孩子嘴里,孩子的小嘴抿了两下,吐了出来,蛋皮掉在地上。补丁女人迅速捡了起来,那样子仿佛孩子吐出去的不是蛋皮,而是金元宝。

补丁女人吹了吹蛋皮上的土,又往孩子嘴里放,孩子不吃,大哭。

补丁女人一脸为难，她把蛋皮往大裤衩子男人手里塞："孩子不吃，你吃吧。"

巴拉呆了，麻雀蛋皮能吃吗？

大裤衩子男人看了看麻雀蛋皮，又看了看孩子，他抓起蛋皮，猛地填进嘴里，"咔嚓咔嚓"嚼两下就咽了下去。补丁女人含着泪，舔了舔手上的蛋皮碎屑。

巴拉哪还看得下去，他叫衙役把马牵过来。巴拉从马鞍下取出一个布袋，俯下身，把布袋轻轻地放在补丁女人面前："这是炒米和肉干，给孩子煮了吃吧。"

说完，巴拉转身就走。大裤衩子男人和补丁女人望着巴拉的背影，见巴拉的手抹着眼睛。

巴拉和衙役走远了，大裤衩子男人打开布袋，里面果然是炒米和肉干。两个人连连磕头："青天大老爷，好人哪……"

巴拉把博托河两岸的窝棚都走了一遍，多数人家比大裤衩子男人和补丁女人好一些，但最好的也不过有两条破棉被。

巴拉摇了摇头，都说这几年蒙民日子艰难，可跟汉民相比，简直就是一个在天上，一个在地下。

巴拉连家也没回，他骑着马奔归化城土默特右旗副都统衙门。

土默特右旗副都统衙门是一个三进院的大院套，大门有一丈多高，七尺多宽。大门两侧各有一个小门。穿过大门，迎面是一面照壁。

土默特右旗副都统衙门照壁的图案原是麒麟，以示都统是一品武官。不过，自从都统裁撤后，这里就成了副都统的官衙，照壁的图案也就换成了雄狮。

过了照壁就是大堂，大堂里立着"回避""肃静""出巡""开道"木牌，正中间是副都统办公的桌案。桌案后面是一幅雄狮壁画，这也表示副都统的官阶。大堂的后院是副都统的内宅，桐花和巴特的卧房就在里面。

巴拉来到衙门前，他说出了自己和巴特的关系，衙役告诉巴拉，巴特查看流民去了。衙役把巴拉领到内宅，桐花坐着，她让使女桐雪招呼巴拉。

桐雪给巴拉倒上茶，巴拉刚坐下，桐花一边嗑着瓜子，一边漫不经心地说："我知道巴家的规矩多，可我们满人也有规矩，大伯子和兄弟媳妇不能坐在一起闲聊。"

巴拉心里有点不舒服，大伯子也好，兄弟媳妇也罢，毕竟我们是一家人。我大老远来了，也不问问渴不渴，饿不饿，就要轰我，这是哪门子的规矩？

可又一想，桐花毕竟是通智的女儿，听说通智已经升任户部侍郎了。户部既管钱，又管物，各省的巡抚、边疆的将军都得对人家恭恭敬敬。桐花有这样的父亲，自然要高人一等。

巴拉只得到前厅去等巴特。

傍晚时分，桐雪和两个下人给巴拉端来一壶酒和几个菜："章盖少爷，我们家小姐让我送点吃的，小姐不便陪你，请不要见怪。"

巴拉心里一热，我就说嘛，我毕竟是巴特的大哥，桐花总不能把我晾在这里不管吧。啥也不说了，还是一家人。

巴拉忙说："不见怪，不见怪。"

巴拉酒足饭饱，巴特才回来。

巴拉把汉人在博托河两岸开荒的事跟巴特讲了一遍，然后道："老三哪，蒙汉分治的规定改了没有？"

巴特摇了摇头："大哥，现在不光是咱们章盖，逃荒到土默特左右两旗的汉民太多了，建威将军申慕德要求全面彻查流民数量，请朝廷火速拨银赈灾，防止发生民变。大哥，我也不多留你，你明天一早就回去，马上把你辖区的流民统计上来，我汇总后报给申慕德将军。"

建威将军是从一品武官，是土默特左右两旗的顶头上司。申慕德对流民事件极为重视，很快把这件事上奏朝廷。可是，康熙皇上病重，几个皇子争位，朝廷没有明确态度。

申慕德只得维持现状，只要这些流民不闹事就行。

秋天的博托河两岸一片金黄，耕种的汉民个个露出丰收的喜悦。

沙尔沁章盖衙门外传来喧哗声，一个衙役走进来对巴拉说："大人，外面来了十几个汉人，他们扛着粮食，说给大人送地租。"

巴拉怔道："送地租？我什么时候把地租给他们了？传他们进来。"

走在前面的是大裤衩子男人，大裤衩子男人和十几个汉人离巴拉七八步远就跪下了："大老爷，我们打听过了，博托河两岸都是你们巴家的蒙丁地。种了地，就得交租子，今年我们收了不少粮食，我们是来送地租的。"

其他汉人也笑着说："是啊，是啊，我们是给大老爷交租子的。"

巴拉心头一热，人都穷成这样了，还想着交地租，这些汉人太憨厚、太纯朴了。巴拉问大裤衩子男人："你叫什么名字？"

大裤衩子男人挠了挠脑袋："大老爷，我，我姓李，我没有大号，他们都叫我李大裤衩子。"

巴拉皱了皱眉，哪有叫这名字的，这能算是名字吗？

有个汉民解释说："大老爷，李大裤衩子家太穷，买不起布，他穿的裤子总是到膝盖，天长日久，人们就叫他李大裤衩子了。"

李大裤衩子讪讪地笑了笑。

巴拉的心像被冷水激了一下，沉默片刻，他郑重地说："你们送的粮食我一粒也不要。"

汉民面面相觑，呆呆发愣，大家以为巴拉嫌少，他们要再回去取粮，多交给巴拉一些。巴拉拦住他们，他再三解释，汉人在巴家的地上开荒本来就违反大清律，要是收他们地租，那就等于认可汉人到蒙疆上耕种，朝廷一旦追究下来，巴拉吃不了兜着走。

巴拉道："如今你们有了收成，也能吃饱肚子了，就带上这些粮食回家吧。"

李大裤衩子往上磕头："大老爷，山西干旱少雨，没水浇地，我们吃完这点粮食还得出来逃荒。大老爷已经把我们留下了，就请大老爷好人做到底，让我们在这儿安身立命吧！"

众汉人百般哀求："我们能帮大老爷干活，我们什么活都能干，只要大老爷把我们留下就行。"

巴拉长叹一声，他没有多说，不过，他告诉李大裤衩子等人，只要朝廷追查下来，他们必须回山西。李大裤衩子等人千恩万谢，巴拉让他们把粮食都扛走了。

一晃到了年关。

鸡叫三遍，"当当当"上房太夫人烟袋敲击铜盂声传出，巴家各房点起灯，院外传来倒马桶声，院内传来扫帚声，灶上传来刷锅声……

巴拉媳妇锡兰带着仆人走进太夫人房中，有换炭火的，有扫地的，有擦箱子的……哈珠把一盆热水端到太夫人面前，太夫人洗过脸，哈珠又麻利地递过绢帕，太夫人擦干脸，哈珠又拿起梳子，轻轻地给太夫人梳头。

锡兰站在一旁，太夫人问锡兰："今天腊月十五了吧？"

"是腊月十五，奶奶。"锡兰应道。

太夫人似乎自言自语，又似在问锡兰："马上就要过年了，也不知巴特两口子什么时候回来？"

锡兰道："奶奶，巴特已经捎回信了，说二十八回来。"

太夫人自己安慰自己："官身不由自主啊！能回来就好，像前几年打准噶尔，一去就是两三年，那不也过来了。"

锡兰笑道："奶奶说得是。这次巴特回来，让他多住些日子。"

太夫人没有回应。其实，太夫人既想让巴特回来，又怕他回来，原因是巴特媳妇桐花。桐花不守巴氏家规，不尊重长辈，总是以正黄旗满洲自居，处处高人一等，巴家人敢怒不敢言，太夫人心里难过，表面还得装作什么事也没发生。

天亮了，太阳升起来了。

各房都来给太夫人请安，唯独不见巴拉。太夫人问："怎么没见巴拉呀？"

锡兰道："他在房上看烟囱呢，一会儿就过来。"

每年腊月十五左右，巴家的世袭章盖都要站在房顶向四周张望，看看哪家烟囱不冒烟。在当时，不冒烟的就是贫困户，吃不上饭，过不了年。只要发现有不冒烟的人家，章盖衙门都要派人送去粮食和肉。

太夫人絮叨着："这是咱们巴家一代一代传下来的规矩。这是官风，也是家风。"太夫人一转话题，"锡兰哪，听说博托河那边还有十几户逃荒来的汉人，不知他们怎么样了？"

锡兰道:"他们收了不少粮食,前些日子还给咱们家送地租了呢,巴拉没收,都让他们背回去了。"

太夫人道:"好人哪,都是这大旱闹的。"

哈珠给太夫人梳完头,又给太夫人装一袋烟,太夫人悠闲地抽了起来。

巴拉站在房顶,对下面的几个衙役说:"村东第三户,村西第二户,两家烟囱都没冒烟,你们套上马车,每户送两袋米、两只羊。"

"是,大人。"

衙役走了,巴拉从房上下来,走进上房给奶奶请安。

请安原是军礼,秦兵马俑中就有这种礼节。当初中原地区,军兵拜见军官都是下跪,但军兵身上常有盔甲,很不方便,为了简化礼节,军兵进见上级时屈一膝,跪一膝,久之,就形成了这种请安礼。清朝的请安礼也叫打千儿,即身体微向前倾,左脚向前跨出大半步,左手扶膝,右手下垂,右腿半跪。女子的请安礼与男子不同,女子双腿半蹲,双手扶左膝,女子的请安礼也叫万福。清朝时期,八旗和部分汉族官宦人家,晚辈见长辈、年少见年长、仆人见主人都要打千儿。

草原各民族流行的是抚胸礼,包括两千年前的匈奴。行抚胸礼是上身稍弯,右手抚左胸心脏位置。抚胸礼原本是表示心向对方敞开,没有恶意。不过,漠东蒙古和漠南蒙古受清人影响较深,多采用打千儿和万福。

太夫人手捻佛珠,盘腿坐在炕上,巴拉向奶奶打千儿,太夫人关切地说:"行了行了,天这么冷,看你冻的,这有火盆,快烤烤。"

巴拉坐在炕边,手伸向火盆。

太夫人一边抽烟一边问:"博托河那边的汉人你去看了没有啊?"

巴拉摇了摇头:"奶奶,朝廷实行蒙汉分治,他们在咱家地上开荒,我睁一只眼闭一只眼也就过去了。要是去看他们,万一朝廷查下来,咱们可吃罪不起。"

太夫人想了想说:"听说那些汉人连棉衣都买不起,这大冷的天,他们可怎么过呀!朝廷是不知道,如果知道了,也会赈济他们的。我看,各房把不穿的棉衣、皮袍、不盖的被褥都拿出来送给他们,这不也是替朝廷分忧嘛。"

巴拉点头称是。

腊月二十八，巴特带着媳妇桐花回到沙尔沁章盖衙门。小夫妻来到上房，给奶奶请安。太夫人留意桐花的表情，见桐花满面笑容，老人的心也很痛快，他招呼巴特和桐花上炕暖和暖和。

哈珠忙向巴特道了个万福，巴特转过头，见哈珠白皙的皮肤，俊俏的脸庞，虽然一身粗布衣服，但看上去十分标致。

巴特道："奶奶，这是我从家庙带回的哈珠吗？"

太夫人笑道："就是就是。这丫头每天陪我说话，给我端茶倒水，晚上还给我捶腿揉背，可会照顾人了。"

哈珠见巴特在打量自己，忙低下头，神情显得有些紧张。

桐花干咳一声："巴特，奶奶让你上炕坐呢！"

天很短，落日的余晖早早地爬上了章盖衙门。西厢房里，桐花讨好似的问巴特："哎，我们满人过年，长辈都给新媳妇压岁钱，这是我嫁到你们家的第一个年，你们蒙古人不会不给压岁钱吧？"

巴特道："给呀，蒙古人也给。"

桐花喜不自禁，她往巴特身边凑了凑："哎，你奶奶能给多少？"

巴特斜视桐花一眼："年景不好，很难说。"

桐花扬起脸，傲慢道："年景不好，年景不好，总为你们家哭穷。我可告诉你，我是正黄旗满洲，当朝户部侍郎家的小姐，给少了，我可不要！"

第五章

在奶奶心中，这对镯子早就不是镯子了，而是爷爷的化身，其分量至高无上，无与伦比。奶奶能把镯子给桐花，那是把她捧到天上了。可今天，大年初一，桐花却把镯子从窗户摔了出去！

巴特想数落桐花几句，可马上就要过年了，为图个吉利，巴特把到了嘴边的话又咽了回去。

"梆梆梆"传来敲门声。

巴特问："谁呀？"

外面道："都统少爷，我是哈珠，太夫人叫你过去。"

巴特站起身："知道了。"

巴特穿上外衣要走，桐花阴阳怪气地说："别让那个要饭的勾走你的魂。"

巴特斥道："你胡说什么？这不是奶奶叫我吗？"

哈珠回到上房，她装上一锅烟，双手捧给太夫人，太夫人叼上烟袋，哈珠拿起火镰。

火镰是一种比较久远的取火器物，20世纪五六十年代才退出人们的生活，取而代之的是火柴和打火机。由于其形状像镰刀，故而称火镰。火镰取火需配以火石和火绒。火石就是我们老式打火机用的那种燧石，火绒一般是由艾蒿嫩叶阴干后编成的火绳。用火镰击打火石，火石产生火花引燃艾绒。

太夫人抽了两口，巴特就到了上房。

太夫人长长地吐了一口烟："巴特呀，奶奶把你叫来是想跟你说件事，按照我们蒙古人的风俗，三十晚上要给新媳妇压岁钱，奶奶想把你爷爷留下来的那对翡翠鸳鸯镯送给你媳妇。"

巴特一惊："奶奶，这可使不得，爷爷走了这么多年，就留下这对镯子……"

太夫人打断巴特："听奶奶说，你媳妇门第高贵，咱们不能亏待人家，也不能让人家小瞧咱们家不是？奶奶有五个孙媳妇，数桐花过门晚。前四个第一个年三十，奶奶都给一只玉镯，可你媳妇跟她们不一样，这也算是奶奶偏心吧。奶奶怕你媳妇当着其他妯娌面看镯子，要是被那几个孙媳妇知道，她们难免有想法，奶奶先跟你说一声。"

巴特道："不行，不行。奶奶，不能这么宠着她。"

太夫人执意地说："该宠就得宠，五个指头伸出来还不一样长呢！听奶奶的话，不然，奶奶就生气了。行了，去吧。"

回到西厢房，巴特把太夫人的话对桐花说了一遍，桐花眼睛睁得比核桃还大："真是翡翠的？"

"那还有假？我们家都知道奶奶有这么一副宝贝，可谁也没见过。只有爷爷生日的时候，奶奶才偷偷地拿出来看看。"

"是一对？"

"鸳鸯镯，那还能是一只？"

桐花都乐开花了："真给我？"

"给你。"

"啥时候给？"

"三十晚上啊。"

"哎呀，等什么三十晚上啊，现在给不就得了。"

巴特瞥着桐花，这哪像官宦人家的小姐，乡野村姑也不会这般急躁。巴特脸一沉："这是规矩，明白不？"

桐花白了巴特一眼："规矩，规矩，我知道你们家规矩多。"桐花又笑了，"嘿嘿，我这不是跟你说着玩嘛！"

瑞雪飘飘，草原、山川和天空连成一色。人们走在雪地上，脚下发出"嘎吱嘎吱"的声音。这是大自然与人合奏的美妙音乐，成年人喜欢，孩子们更是喜欢，他们簇拥在一起，时而踩雪，时而打雪仗，时而躺下把自己的身形印在雪地上。

除夕一早，巴氏族人给太夫人请过安，太夫人道："我们巴家每年三十都给下人放一天假，这一天的活全部由主子来做，不管是老爷、夫人，少爷、少奶奶，都不例外。"

巴拉的几个伯伯、婶子都点头称是。

太夫人道："好了，你们下去忙吧。"

巴家老老少少、男男女女都行动起来，扫地的扫地，擦箱子的擦箱子，劈柴的劈柴，下厨的下厨，一片嘈杂，一片欢笑。只有桐花一个人在西厢房，她坐在梳妆台前，对着镜子，描了擦，擦了又描。

巴拉和几个同辈分的兄弟把院子打扫得干干净净，然后在院中央架上木柴。

蒙古的本意是永恒的火，蒙古人对火有着浓厚的感情。除夕午夜，几乎家家都要点旺火，以示家业兴旺，大吉大利。

一切都准备好了，巴家人来到上房，众人围坐在太夫人身边。桐花也描画完了，她紧挨着太夫人，一口一个奶奶，叫得太夫人像吃了蜂蜜一样。老人给晚辈讲过去的事，一家人猜谜语，拉家常，其乐融融。

子夜时分，巴家的门全部打开，以示把祖先请回家，把过往的神仙请到家，与巴家共同欢度新年。巴家男女老少穿上新衣、新鞋，戴上新帽。巴拉点燃旺火，女人陪着太夫人在屋中往外看，男人跪在旺火前焚香接神。

接神仪式过后，巴家关上门，众人来到太夫人房中，按辈分一一给太夫人磕头，祝老人福如东海，寿比南山。

烛光映红了太夫人的脸，太夫人满脸笑容。

巴特和桐花跪在太夫人面前："孙儿巴特（孙媳桐花）给奶奶磕头。"

太夫人让两个人平身站起，老人把一个红绸布包给了桐花，桐花接在手中，她忍不住要打开，巴特忙攥住她的手。桐花似乎不放心，用手捏了捏，里面确实是两只镯子。

巴特从桐花手中夺过布包，揣进自己的怀里。

桐花眉开眼笑："谢奶奶！谢奶奶！"

给太夫人磕了头，锡兰和几个妯娌端上饺子，巴家人坐在一起吃年夜饭。

自从桐花得知太夫人要把一对翡翠鸳鸯镯给她，桐花白天想着这对镯子，夜里梦见这对镯子，可就是不知道这对镯子是什么样式。

吃了两个饺子，桐花就拉巴特下桌，巴特没理她。

太夫人看在眼里："巴特，你们小夫妻一直住在归化城副都统衙门，这冷不丁回来肯定睡不好，桐花要是累了，你就带她回房歇了吧。"

太夫人给了台阶，桐花忙道："是啊，是啊，我一换地方就睡不着。我实在太困了，奶奶，那我就先和巴特回房了。"桐花打了个呵欠，拉着巴特就走。

一到西厢房，桐花就迫不及待地从巴特怀里把红绸布包夺了过来，打开一看，里面果然是两只十分精美的镯子。

桐花拿起一只，对烛光照了照："哟！真是翡翠，太漂亮了！我就说嘛，你们家世袭章盖，拔根汗毛都比人腰粗。"

桐花立即戴在腕上："哎，怎么样？漂亮吧？"

巴特叮嘱道："你试试就行了，可不能在家里戴！"

桐花眼睛盯着镯子："为什么？"

巴特有点着急："你怎么这么快就忘了？我不早跟你说了吗？这对镯子是奶奶的宝贝，给了你，怕别人有意见。"

桐花嘴一噘："我知道，我知道。"

巴特脱衣睡了。桐花一会儿戴上，一会儿摘下，一会儿又对着灯光看。直到鸡叫二遍，桐花才把镯子放在自己枕下。

太阳已经出来了，可桐花却睡得正香。"当当当"上房传来太夫人敲击铜盂声。

桐花烦躁："老太太不睡觉，瞎敲什么呀！"

巴特一边穿衣服，一边斥道："怎么说话呢？"

桐花反驳："我就这么说话，怎么了？"

巴特面有怒色："今天是大年初一，如果是平时，奶奶早就敲铜盂了，你看看，太阳都多高了。"

桐花狠狠地把被子往头上一蒙："我不看！"

土默特蒙古人大年初一和除夕都要吃团圆饭。

太阳高挂在天上，巴氏家族的老老少少都到了，就差桐花一人。巴特只得为桐花开脱，说她不舒服。太夫人心里七上八下，她知道巴特是善意的谎言，但她不知道桐花到底是什么原因不来吃饭。难道她把那对翡翠鸳鸯镯当成了普通的玉镯了？不可能，她不是牧羊女，也不是乡下丫头，她肯定识货。要不，是桐花嫌这对镯子太旧？不可能，玉也好，翡翠也罢，越旧越值钱，作为官宦人家的小姐不会不知道。莫不是他们小两口吵架了……

太夫人不由得看巴特："巴特，今天是大年初一，一家人难得在一起过个年，你去看看，桐花好点没有，要是好些了，就叫她过来。"

巴特来到西厢房，他推了推桐花："哎，一大家子就差你一个了……"

"别碰我！"桐花猛地翻个身，也不知用了多大劲儿，炕被砸得"咚咚"直响。巴特真想把她揪起来，可这样把她拉到桌前，她肯定又哭又闹，大过年的，不能惹奶奶不高兴。

巴特无可奈何地回到上房："奶奶，别等了，她还是不舒服。"

太夫人慢慢地拿起筷子，神情木然："吃吧。"

桌上没人说话，只有碗和筷子的碰撞声。

饭后，各房都回了自己的小家，巴特阴沉着脸走出上房。巴拉把巴特拉到一边，想问桐花到底怎么了？

巴特突然道："阴谋！肯定是阴谋！"

巴拉大惊："老三，什么阴谋？"

巴特目光凝重："大哥，通智在科布多一箭没把我射死，又让他女儿来害咱们全家，这就是他的阴谋！"

巴拉急了："老三，你胡说什么！你说通智射你，谁看见了？你说通智让他女儿来害咱们家，桐花是下毒了？还是行刺了？人家把女儿嫁给你，这是结亲！有用结亲害人的吗？通大人是高看你，赏识你！老三，这话到此为止，以后绝不能再提！"

巴特手指西厢房，语气中带有强烈不满："大哥，她根本就没有不舒服，她，她就是不起来！"

巴拉道："行了行了，不起来就不起来，不就是多睡一会儿嘛。哎，老三，是不是你总想着科布多那点事，对人家冷言冷语？"

巴特道："没有，我恨不能每天给她赔笑脸。"

巴拉声音很低："老三，你要懂得女人心。女人是要哄的，以后你多哄哄她就好了。"

兄弟俩正说着，哈珠走来："都统少爷，太夫人有话要跟你说。"

巴拉对巴特摆了摆手："奶奶叫你，你赶紧去吧，以后可不能胡思乱想。"

巴特默默地随哈珠走进上房，太夫人语重心长："孙儿呀，你跟奶奶说实话，桐花是不是嫌那对镯子不好啊？"

巴特忙说："不是不是，奶奶，桐花特别喜欢，真的！"

哈珠侍立在一旁，时而注视巴特，时而微微皱起眉头，令人琢磨不透。

太夫人追问："桐花真不舒服？"

巴特支吾道："真不舒服……"

太夫人盯着巴特："有喜了？"

巴特讪笑一下："没，没有……"

就在这时，西厢房传来桐花的叫骂声："这是什么破镯子，什么翡翠，这是什么人家，拿这么个破玩意儿糊弄人……"

巴特、太夫人、哈珠三个人的目光迅速转向西厢房。

外面的鞭炮不时响起，桐花哪还睡得着。她伸了个懒腰，穿上衣服，想把被子叠起来，可一拉褥子，翡翠鸳鸯镯从炕上滚落到地下。巴家各房的地面都铺着青砖，两只镯子落地就打碎了，桐花哭了出来。

桐雪跑了进来，把打了的镯子捡起来，捧给桐花。桐花看着看着，由惜而悲，由悲而怒，一抖手，向窗户撒去。

清代把玻璃叫琉璃，价格十分昂贵，普通人家是买不起的，官宦人家也只能在每扇窗户的下方安一小块，玻璃的四周糊着窗户纸。

"啪""啪"窗户纸被打破，镯子碎块落在院中。

巴特呆了，这对镯子不但价值昂贵，而且奶奶把对爷爷的思念全部寄托在这对镯子上。在奶奶心中，这对镯子早就不是镯子了，而是爷爷的化身，其分量至高无上，无与伦比。奶奶能把镯子给桐花，那是把她捧到天上了。可今天，大年初一，桐花却把镯子从窗户摔了出去！

太夫人眼睛模糊了："快！快给我拿回来！"

一对镯子在西厢房打成了四段，这么一摔，又成了七八段，哈珠一段一段地捡起来，她捧在手里，走进上房。

太夫人接过镯子，泪如泉涌："老头子，你在哪儿呀……"太夫人头一歪，昏了过去。

巴特和哈珠抚前胸，捶后背，好半天太夫人才醒过来。

巴家人跑到上房——

"额吉，你怎么样？"

"奶奶，你好点没？"

太夫人微睁二目，轻声说："我没事了，你们都各回各房吧。"

人们走了，只有巴特和哈珠站在太夫人面前，太夫人道："巴特，奶奶没事了，你也回房吧。"

巴特"扑通"跪倒，哭道："奶奶，孙儿不孝，孙儿不孝啊……"

太夫人摇了摇头："孩子，别这么说，你是奶奶的好孙子，快起来。"

巴特站起身就往外走："我休了她！"

太夫人喝道："站住！"

巴特停住脚。

太夫人轻声说："巴特呀，蒙古人没有休妻的传统。你还想让奶奶多活几天不？你要想让奶奶多活几天，就什么也不要说，就当什么事也没发生，听见了吗？"

巴特心如刀剜:"奶奶!"

太夫人再次叮嘱:"好孙儿,听奶奶的话。"

桐雪一边劝桐花,一边给桐花擦眼泪。

巴特回到西厢房,桐花一见巴特,她先火了:"你们这是什么人家?什么成吉思汗的后代?什么世袭章盖?竟拿两只破镯子来骗我这个户部侍郎的小姐,你以为我是好糊弄的吗?今天这个规矩,明天那个传统,都是狗屁!"桐花骂个没完,"说什么,这个留下的,那个传下的;不让这个知道,不让那个知道,都是假的!不敢让人看,怕人看出来。呸!"

巴特打又打不得,骂又骂不得,听又听不得,肝肠寸断。

第六章

　　出了上房，哈珠蹑手蹑脚地来到西厢房巴特屋前，见四下无人，她推了推门，门掩着。哈珠来到窗下，刚要推窗户，突然，上房传来太夫人的咳嗽声。

　　好不容易熬到初六，这个年总算过去了，巴特和桐花回了归化城。

　　巴特每天很早起来，很晚才回后宅。除了办理公务就是习文练武，见桐花没有一句话。

　　翡翠鸳鸯镯在桐花心中挥之不去，虽然她违心地说那是假的，可桐花心里明镜似的，那不但是真的，而且是上品中的上品。

　　桐花正在发呆，使女桐雪捧着一个檀木匣走了进来："小姐，大盛兴商号的张东家求见。"

　　桐花百无聊赖地摆弄着自己的首饰："张东家？我不认识，他找我干什么？"

　　桐雪把檀木匣放在桐花面前："张东家说，小姐打开这个盒子就知道了。"

　　桐花目光落在檀木匣上。木匣一尺见方，二寸多厚，表面涂了一层清漆，上面雕刻着花开富贵的图案，阳光一照，闪闪放光。

　　桐雪打开盒子，里面是一对翡翠镯子。这对镯子晶莹剔透，湛清碧绿，桐花眼睛一下子就直了："这，这怎么跟老太太那对一模一样！"

桐雪也惊道："小姐，太漂亮了，你戴上试试。"

桐花一手戴一只，她左手瞧瞧，右手看看，眉开眼笑："这是给我的？"

桐雪不置可否。

桐花忙道："快！把张东家请进来。"

桐雪走了几步又回来了，她说："小姐，要不你先把镯子摘下来？"

桐花脸上的笑容消失了："镯子不是戴的吗？摘下来干什么？"

桐雪道："小姐，咱们是官宦人家，不能让那些商人小瞧啊。"

桐花不情愿地摘下来："你可收好了，千万不能打了。"

桐花叮咛又叮咛，嘱咐又嘱咐。桐雪小心翼翼地把镯子放进檀木匣，把檀木匣捧到梳妆台上。桐花还不放心，她来到梳妆台前，把檀木匣抱过来，打开看了看，见镯子安然地躺在里面，她盖上盖。可仍不放心，桐花再次打开，又看了半天。她想放衣柜里，衣柜有点高，万一掉下来怎么办？放在床下，可被耗子啃了呢？

桐雪笑道："我的小姐，耗子怎么会啃镯子呢？"

桐花郑重其事："耗子磨牙，什么都啃。"

桐雪觉得好笑："耗子哪能啃得动镯子啊。"

桐花连连摇头："什么事都得防备万一，万一啃得动呢？不行，我还是戴上吧。我用袖子挡着点，不让那个什么东家看着就行了。"

不一会儿，桐雪领进一个人。这个人四十多岁，中等身材，他向桐花打千儿："给都统夫人请安。"

桐花满脸带笑："张东家，起来起来，快请坐，请坐，有什么事只管说，我一定帮你。"

张东家哪里敢坐："都统夫人，是这么回事，我们大盛兴商号急需点木材。宝丰山有一片树林，我们想砍几棵树，请夫人给办个采伐证。"

桐花想都没想："行行行，没问题。"

桐花答应得如此痛快，这可太出乎张东家的意料了。当官的和官太太他见得太多了，找他们办事，明明一句话就可以解决，他们往往跟你绕圈子，说这么不好办，那么不好办，暗示你多送银子。张东家心里没底，这对镯子虽然不是普通镯子，可宝丰山的树也不是普通的树，听说不经朝廷批准，是不准采伐的。说好办，很容易；说难办，比登天还难。官家什么没见过，我不可能一对镯子就把她拿下吧？张东家不敢正视桐花，只是偷偷地看了一眼，见她笑得跟花一样灿烂。张东家分不清桐花是真笑、假笑，还是奸笑。

见张东家不说话，桐花又道："你放心等消息吧，我肯定把采伐证给你办出来。"

送走大盛兴商号张东家，桐花就要到前面副都统衙门找巴特。桐雪劝桐花不要太急，她给桐花出主意，叫她摆上一桌酒菜，先为过年的事给巴特赔个情，然后再提这件事。

桐花翻了翻眼睛："让我低三下四求他？"

桐雪赔着笑："小姐，这不是为了办事嘛，该委屈你就得委屈一下。"

副都统衙门坐北朝南，门前有两棵并不太高的白杨树，虽是孟春时节，但归化城地处塞外，这两棵树没有一点发芽的迹象。太阳西坠，两棵树重叠在一起，在地上投下长长的阴影。

巴特在看兵书，后堂门开了，桐花走了进来。

桐花精心打扮一番，头上仍是满人最为流行的"大京样"，身上穿着长及脚面的旗袍，外罩坎肩，腰间系着香囊，脚上是三寸多高的花盆底绣鞋。

巴特也没多看桐花一眼，不冷不热地说："你来干什么？"

桐花笑盈盈地说："夫君，天不早了，我在后宅备了一桌酒菜，还有你最喜欢喝的董舒尔奶酒，我们一起吃饭好吗？"

蒙古人的奶酒有马奶酒和烈性奶酒两种。马奶酒由马奶发酵而成，酸中带甜，营养丰富，酒精度一般在五度左右。现代医学认为，马奶酒具有消食、健胃、活血和医治肺结核病的功效。烈性奶酒是以牛羊奶为原料，经发酵蒸馏而成。头次酿出的酒称阿尔乞如，酒精度较低。将阿尔乞如二次回锅，烧出来的酒称阿尔吉，三次回锅的称和尔吉，四次回锅的称德善舒尔，五次回锅的叫占普舒尔，六次回锅的才叫董舒尔。这种六蒸六酿的董舒尔奶酒大约三十度，酒味奶味俱佳，是蒙古人最为珍贵的酒，通常是要献给皇上的。

结婚一年来，桐花如此温柔还是第一次，巴特冰冷的心开始融化了："我把这段看完，你先吃吧。"

桐花摇着巴特的肩，撒着娇："夫君，书什么时间不能看，还是先和我吃饭吧！"

巴特二十岁出头，风华正茂，虽然对妻子桐花不满，可两个多月没到桐花房中，巴特还是渴望得到她的温情。

巴特随桐花来到后宅，见酒和肉都摆上了。桐花满满地斟了一碗董舒尔奶酒："夫君，这碗酒算我给你赔情。你也知道，我是正黄旗满洲，生在官宦之家，从小娇生惯养，有不对的地方，还请夫君多原谅。"

桐花"夫君夫君"地叫，巴特心中的乌云散了，他接过酒："过去的事就算了，以后我们和和睦睦地过日子，再也不吵了，好吗？"

桐花风情万种："当然好。其实，我也不想吵，就是有时忍不住。你是大男人，多让着我点。"

巴特的目光火辣辣的："嗯，我让着你。"他一饮而尽。

几碗酒下肚，桐花把话题引到采伐木材上，她谎称认识一家绣房的老板娘，两个人处得很好，老板娘家要盖新房，桐花答应帮老板娘办个宝丰山的采伐证。

巴特连连摇头："不行啊，工部已经把宝丰山的林木列为修建皇宫的木材，没有工部的批准，是不能采伐的。"

桐花不高兴了："砍几棵树有什么了不起？土默特山高皇帝远，谁来查你？"

巴特耐心地解释："桐花，我这个副都统是用命换来的，就算没人来查，这种违法的事咱们也不能干。"

桐花的脸一下子就撂下了："砍树又不是砍人。人家贪赃枉法都不怕，砍几棵树把你吓成这样，你还算什么男人？能成什么大事？"

巴特刚才的心还如烈火一样燃烧，桐花这番话就像一盆冷水，把巴特的激情全部浇灭了。巴特没有反驳，他茫然地抓起酒壶，"咕嘟咕嘟"喝了个精光。

桐花追问："这事你到底办不办？"

巴特断然道："不办！"

桐花"噌"地站了起来，她一下子把桌子掀了，"稀里哗啦"，各种菜肴散了一地。

"我瞎了八辈子眼，嫁给你这么个窝囊废！"

巴特的两道眉顿时立了起来，"嘭"的一声，左手抓住桐花衣领，右拳举了起来。

这可不是在沙尔沁，有太夫人，有巴家的长辈，巴特有所顾及。这是在归化城，而且，家中只有他和桐花、桐雪三人。桐花心中胆怯，脸一下子就白了。

桐雪见势不好，她忙上前拉住巴特的胳膊："姑老爷，姑老爷，这可使不得，小两口哪有不吵架的，吵归吵，千万不能动手啊，姑老爷！"

巴特狠狠地看了看桐花，松开手，转身走了。

走西口、下南洋、闯关东，这是中国的三大移民潮。在这三大移民潮中，走西口时间最早，历时最长。走西口，简单地说，就是晋陕一带的汉人，走出张家口、杀虎口逃荒到草原。晋陕北部十年九旱，是标准的靠天吃饭型，而明朝嘉靖皇帝只知炼丹修道，寻求长生不老。明朝政治腐败，收的税粮十分繁重，老百姓种地入不敷出，他们衣食无着，纷纷冒着杀头危险逃向草原。

草原地广人稀。放牧是蒙古人的强项，耕种是汉人的强项；蒙古人需要汉人的粮食，汉人需要蒙古人的土地，双方优势互补。又因蒙古人信仰喇嘛教，所以，对汉人是友善的，也是宽容的，他们往往以很低的租金把地租给汉人。汉人在这里能填饱肚子，一些人举家迁到草原。今天，乌兰察布、呼和浩特、包头及巴彦淖尔的汉人，绝大多数都是走西口的后代。

土默特部接纳汉人是从明朝嘉靖时期开始的，一些汉人还起蒙古名字，说蒙古语。清朝虽然蒙汉分治，但蒙汉民之间的交流没有中断。经过二三百年的融合，在这片广袤的草原上，汉人习惯了点篝火，吃手扒肉；

蒙古人也习惯了清明祭祖，端午吃粽子。

清明将至，巴特带着几个随从，由归化城回到沙尔沁。

哈珠向太夫人禀报："太夫人，都统少爷回来了。"

太夫人又惊又喜："巴特在哪儿？"

哈珠毕恭毕敬："回太夫人，都统少爷已经到大门外了。"

太夫人犹豫一下问："他们，他们一起回来的？"

太夫人对桐花心存忌惮，老人这是问巴特是不是带桐花一起回来的。哈珠明白，道："回太夫人，都统少爷没带三少奶奶，只带了几个随从。"

太夫人点点头，没说话。

巴特来到上房，给太夫人磕头。

太夫人泪光涌动："快起来，快起来。回来就好，回来就好，再过两天就是清明节了，各房都准备好了，就等你回来一起去家庙祭祖呢。"

哈珠提着一壶刚刚熬好的奶茶，她给太夫人和巴特各倒了一碗。

哈珠笑着对巴特说："这几天太夫人就念叨都统少爷，果然把都统少爷念叨回来了。"

太夫人放下手中的烟袋，喝了一口奶茶对巴特说："哈珠这丫头真好，你可给奶奶带回个好丫头，奶奶一天也离不开她。"

巴特看着哈珠："谢谢你。"

哈珠脸一红："要说谢，哈珠该谢都统少爷，如果不是都统少爷赏给哈珠一碗饭吃，不知哈珠要流落到哪里。"

太夫人手捻佛珠："我们蒙古人崇佛敬佛，佛家讲的就是缘。你与我们巴家前世有缘，今生才走到一起。"

巴特点点头："是啊，是啊。"

哈珠摇了摇头："哈珠是个落难女子，巴家乃大元朝皇室遗脉。承蒙巴家收留，哈珠感激不尽，不敢攀缘。"

巴特道："相识便是缘，缘分是不分血统的。"

太夫人也说："缘无处不有，无处不在，没有高低贵贱之分。"

夜深了，哈珠躺在炕上怎么也睡不着。她睁开眼睛，侧耳听了听，外面悄无声息。

哈珠爬了起来，她穿上衣服，轻轻地推开门。出了上房，哈珠蹑手蹑脚地来到西厢房巴特屋前，见四下无人，她推了推门，门掩着。哈珠来到窗下，刚要推窗户，突然，上房传来太夫人的咳嗽声。

哈珠缩回手，上房隐隐传来太夫人的声音："哈珠，哈珠……"

哈珠立刻返回上房。哈珠的卧房和太夫人是里外间，太夫人在里，哈珠在外。见太夫人屋中黑着灯，哈珠把耳朵贴在门上，可什么声音也没有。

一袋烟的工夫过去了，还是没有动静。哈珠一皱眉，大概是自己听错了，是自己太敏感了。

哈珠又从自己的卧房出来，她再次走到西厢房巴特窗下，用手一推，窗户开了。

哈珠刚要上窗台，上房又传来咳嗽声，继而太夫人房中的灯亮了。哈珠慌忙回到自己的房中，假装睡在炕上。

这时，太夫人叫道："怎么这么渴呀，哈珠啊，给我倒碗水来。"

哈珠没动。

太夫人又说："哈珠？给我倒碗水。"

哈珠这才应道："是，太夫人。"

入春以来，老天爷连续下了几场透雨。小草捕捉到了春的气息，纷纷钻出地面，沐浴雨露，享受阳光。

祭祖是件庄重的事。巴拉、巴特身着官服，兄弟二人骑着高头大马，巴家老少十几口，坐着马车，拉上供品，来到包头召。祭祖之前首先敬佛。巴拉、巴特先给佛祖上几炷香，然后与家人一起来到祠堂祖先灵位前。道尔吉喇嘛先将供桌上的供品撤下来，换上新的面点、牛羊肉和干鲜果品，再献哈达，撒酒祭祀。一家人按辈分跪在地上，烧纸焚香，追悼逝去的先人。

各种仪式结束，道尔吉喇嘛把众人让进禅房，巴家人围坐在一起，由长者把剩下的酒和供品分给每个人。刚才肃穆的表情被欢笑取代，人们品着供品，喝酒唱歌。

吃完喝罢，巴拉、巴特出庙门准备回沙尔沁，却见前面跪着一大群汉民。这些人衣衫褴褛，瘦骨嶙峋。

　　李大裤衩子依然光着膀子，下身还是那条仅仅能遮住膝盖，如同大裤衩子一样的裤子。不同的是，他的五个大脚趾不再像干树杈子似的分散在地上，而是套了一双黑色的中间新、两头旧的粗布鞋。中间新，是鞋梆；两头旧，是鞋尖和后跟都打着补丁。显然，这是一双新鞋，补丁是为了延长鞋的寿命特别缝上去的。

　　李大裤衩子说："章盖老爷，去年你大发慈悲，不但没把我们赶回山西老家，过年时还给我们送来棉衣、棉被，我们恨不能当牛做马报答青天大老爷。我们也知道，不应该得寸进尺，再给大老爷找麻烦，可是，今年雨水充足，一看就是个好年景，我们实在是饿怕了，求大老爷再让我们种点粮食，秋后我们愿把七成收入献给大老爷。"

　　其他人也说："青天大老爷，你就可怜可怜我们吧。"

　　巴拉一皱眉："本官不是不让你们种，是朝廷不允许。去年，我冒着丢官罢职的危险把你们留下，哪敢再留你们哪！赶紧回老家，别误了农时。"

　　众汉民一个劲儿地磕头，李大裤衩子说："去年打的粮食章盖老爷一粒没要，我们一家三口倒可以勉强糊口。可山西老家十年九旱，我们回去粮食吃完了，还得走西口。青天大老爷，救人救到底，送佛送西天，求你开恩吧！"

　　众汉人也道："大老爷，求你给我们一条活路吧！"

第七章

桐花、桐雪算计着巴特回来的时间，傍晚时分，桐雪发现巴特归来，她立刻回到内宅。于是，桐花开始折腾，她又是翻跟头，又是打滚儿。

巴拉直抖手，赶他们不是，不赶他们也不是，他不由得看巴特。

李大裤衩子虽然没见过太大的官，可一看巴特头戴红缨帽，上面是红色顶珠，项挂朝珠，前后胸绣着雄狮补子，李大裤衩子就猜到巴特的官比巴拉大。

李大裤衩子跪爬几步来到巴特面前："青天大老爷，救救我们吧!"

众汉民又向巴特磕头："青天大老爷，开恩哪!"

巴特问巴拉："大哥，这就是你说的那十几户逃荒来的汉民?"

巴拉点点头："就是他们。"

巴特暗道，这些汉人不偷，不抢，只求种地糊口。如果把他们轰回去，一旦激起民变，自己和大哥都逃不了干系。从去年的情况看，朝廷没有追查，既然朝廷没有追查，就说明朝廷已经默许，反正地荒着也是荒着。

巴特环视这群破衣烂衫的汉人，对巴拉说："大哥，先把他们留下来吧，我再上道折子，看看朝廷怎么说。"

众汉民"梆梆梆"磕响头:"青天大老爷!青天大老爷呀!"

巴特一摆手:"你们都起来吧……"

话音未落,一匹快马飞奔而来,马上的衙役跳下坐骑,"噔噔噔"跑到巴特面前:"大人,夫人旧病复发,头疼欲裂,请你马上回归化城。"

衙役说的夫人是指巴特媳妇桐花。

旧病?桐花有什么旧病?从没听她说过。

想到桐花的刁蛮,巴特的气就不打一处来。巴拉却想,桐花一定是病得不轻,不然不会派人从几百里之外的归化城来到沙尔沁叫巴特,巴拉催促巴特马上回去。

巴特骑上马一路飞奔,回到归化城副都统衙门时,天已经黑了。巴特把马一扔,跑向后宅。推开门,见桐花双手抱头在炕上来回翻滚,脸上的汗跟水洗的一样。

巴特虽然对桐花有怨气,可见她病成这个样子,心还是软了下来:"桐花,你怎么样?"

桐花一个劲儿地哼哼:"唉哟,疼死我了,我活不了了,疼死我了……"

巴特急切地问:"这是啥病啊?怎么疼成这样?"

桐雪忙道:"姑老爷,小姐小时候得了一种头风病,头一疼就死去活来。"

巴特又问:"为什么不请喇嘛给看看?"

草原上缺医少药,人们生病常常请喇嘛诊治。

桐雪道:"姑老爷,请也没用。当年有个大仙给小姐算过,说小姐五行缺火,容易恶鬼缠身,恶鬼一缠身,小姐就头疼。"

桐雪说的大仙就是大神,今天的媒体称之为巫婆神汉。大神在中国有几千年的历史。古代医学不发达,人们得个什么病,有个什么灾,经常请大神。大神治病除灾的仪式叫跳大神。跳大神一般有两个人,一个是大神,一个是二神。所谓的大神通常是"胡黄白柳"四仙,即狐狸、黄鼠狼、刺猬和蛇。在东北,这四种动物被认为最有灵性、最容易成精。有四仙之一附在人体上叫得神或领仙,得神者就是大神。大神能算出人的吉凶祸福、生老病死;二神实际没神,但能说会道,通常由二神把病人的情况转诉给大神。大神一般要由二神焚香邀请，二神请大神时尊其为"仙家"。

大神和二神之间唱着对话，唱的都是神词神调。两个"神"你问我答，曲调优美动听，现在的二人转就有这种唱腔。

巴特追问："那以前是怎么破的？"

桐雪道："人怕鬼，鬼怕红，鬼尤其怕鲜红色的官印。在锦州老家，小姐一犯病，我家老爷就把官印盖在门和窗户上，小姐的病就好了。"

闻听官印能治桐花的病，巴特立刻跑到前堂，他拿出钥匙，打开柜子，从里面捧出一个小木匣，再用钥匙打开木匣，取出自己的副都统大印。巴特带上印泥，连柜门都没关，就回了后宅。

烛光之下，桐花还在炕上翻滚，巴特把印和印泥交给桐雪："往哪儿盖？快盖。"

桐雪接过大印和印泥，她走出屋，连窗户带门，盖了十几处。也就是半炷香的工夫，桐花不折腾了。

巴特问桐花："好点了？"

桐花有气无力："好多了。"

就在这时，"梆梆梆"外面传来急促的敲门声："大人，门外来了建威将军府的差官，说申慕德将军请你马上到将军府。"

巴特放心不下桐花："你告诉将军府的差官，就说夫人病了，我明天一早就去。"

外面道："大人，我跟差官说了，可他说十万火急，请你立刻去。"

桐花语速很慢，口气中带有体贴和关爱："我没事了，你去吧，别误了公事。"

巴特听着很是温暖，他捧大印离开后宅奔前堂。巴特把大印锁好后，骑上马连夜去了建威将军府。

巴特刚走，桐花就来了精神，她吩咐桐雪："快！把公文纸揭下来。"

桐花真病了吗？没有。这是她设的一个圈套。桐花收了大盛兴商号张东家的翡翠镯子，答应给人家办采伐证，可巴特坚持不办。桐花舍不得把镯子退回去，急得她跟猴子挠心似的。

桐花眼珠一转，干脆我模仿巴特的字体写一份公文，再盖上巴特的副都统大印，这不就成了嘛！桐花一阵兴奋，她打发桐雪去前堂偷公文纸和巴特的官印。空白公文纸就放在巴特的桌案上，桐雪拿了好几张。然而，拿纸容易，盖印可就难了。巴特的官印锁在柜子里，钥匙整天带在身上，桐花一筹莫展。

这天夜里，桐雪已经睡了，桐花跑到她的房中，推醒桐雪："我有办法了！我有办法了！"

桐雪迷迷糊糊："小姐，三更半夜，你不睡觉，干什么呀？"

桐花异常兴奋："桐雪，我有办法了！我有办法了！"

桐雪坐起来，她揉着眼睛："什么办法？"

桐花狡黠地说："你记不记得？咱们在锦州的时候，有个章盖的女儿生病，大神说章盖的官印能避邪，然后把官印盖在窗户上，那姑娘的病还真就好了。"

桐雪听说过这件事，但不明白这跟桐花有什么关系。

桐花眉飞色舞："关系大了！你把空白公文纸贴到窗户外面，我装病，咱们把巴特的官印骗出来，盖在公文纸上。有了官印，这事不就成了吗？"

桐雪瞠目结舌："小姐，这万一被姑老爷知道，那，那……"

桐花轻蔑地一笑："那什么？等他知道已经晚了，他能把我怎么样？"

清代的公文纸不像现在这么洁白、精致。那时的公文纸很粗糙，跟窗户纸的颜色差不多。虽然比窗户纸薄，但贴在窗户上，白天还是容易发现的，因为一层纸的透光度和两层差距很大，在屋里一目了然。可夜晚就不一样了，室内点上灯，里面亮，外面暗，不注意是看不出来的。

巴特回沙尔沁祭祖，桐花和桐雪就开始准备了。天将午时，桐花开始装病，桐雪叫衙役去沙尔沁唤巴特回来。清代讲的是男女有别，授受不亲，衙役轻易不能进入官家内宅。衙役听说桐花病得很重，迅速赶往沙尔沁。桐花、桐雪算计着巴特回来的时间，傍晚时分，桐雪发现巴特归来，她立刻回到内宅。于是，桐花开始折腾，她又是翻跟头，又是打滚儿。为了做得更像一些，桐花还让桐雪往自己脸上喷了水，巴特以为是桐花疼得浑身冒汗。

巴特做梦也没想到这是个骗局。

巴特走后，桐花端着灯来到窗前，桐雪把贴公文纸的地方洇湿，然后到外面揭公文纸。公文纸原本只贴了四个角，沾上水，不费劲儿就揭了下来。桐雪把公文纸捧进屋，用扇子扇干，虽然有点发皱，可大印完整。

桐花提起笔，模仿巴特的字迹写下一行字——

同意采伐宝丰山之林木。

雍正元年二月二十四日　土默特右旗正二品副都统　巴特

巴特到了建威将军府时，大厅里已经坐满了各级官吏。原来，康熙驾崩之后，雍正继位，雍正皇帝要来归化城巡狩。

皇上要来下面视察，建威将军申慕德不敢有一丝怠慢，他必须把事情考虑得滴水不漏、万无一失。这包括皇上吃在哪里，住在哪里，视察哪里；走哪条街，过哪条巷，把小商小贩赶到哪里；怎么汇报，汇报什么内容，什么事该说真话，什么事该讲谎言。最重要的是安全保卫，派多少军兵换便装混入百姓之中，对突然冲出来告御状的是就地斩首，还是臭袜子塞嘴，装进麻袋拖走，等等。

雍正皇帝并不是脑袋一热就要到归化城来，他此行的目的是为稳定内蒙，怀柔外蒙，震慑准噶尔。

明朝建立，元朝蒙古皇室退回草原，形成北元。北元蒙古帝国时期汗权旁落，各部落之间相互残杀，国家四分五裂。成吉思汗的十五世孙达延汗统一蒙古后，为了削弱大臣的权力，撤销了国家机构——中书省、御史台和枢密院，把北元蒙古分为左右两翼六个万户和科尔沁、瓦剌两个高度自治的部落联盟。

瓦剌后来演变为准噶尔。喀尔喀是左翼的三个万户之一，由漠南、漠北两部分组成，共十二个部落。达延汗把漠南的五个部落封给了自己的第六子，称内喀尔喀，位于今天内蒙古东部；把漠北的七个部落封给了第八子，称外喀尔喀。外喀尔喀是喀尔喀的主体，即外蒙古。

清朝统一明朝之前，首先收服了北元蒙古。北元灭亡，草原无主。漠南蒙古土默特部已经降清，漠北的外蒙古和漠西的瓦剌生存在沙俄和清朝的夹缝之间，举步维艰。外喀尔喀七部首先进行了新的排列组合，形成三大部落——札萨克图、土谢图和车臣。三大部落首领都称汗，札萨克图汗为盟主。三部与瓦剌联手，团结一致，共同对外。

然而，好景不长，一个叫奔特尔的千户头领与土谢图汗不和，他带领一千余户逃到漠南。清朝政府正愁无法瓦解外喀尔喀和瓦剌的联盟，对奔特尔来降高度重视，封其为达尔罕亲王。达尔罕本意是神圣的、崇高的、不可侵犯的禁地的意思。北元时期，达尔罕成了爵位，子孙相传，世袭罔替，哪怕是犯了死罪也不能杀，中原民间称之为"铁帽子王爷"。今天的达茂旗是由达尔罕和茂明安两旗联合而成，达尔罕旗的始祖就是奔特尔。奔特尔降清，外喀尔喀内部矛盾激化，札萨克图汗被杀，其土地和部众大都归了土谢图汗。札萨克图汗的继承者向土谢图汗索要土地和部众，土谢图汗不给，新的札萨克图汗向瓦剌求援。

在外喀尔喀加强自身建设的同时，瓦剌也在跟自己叫劲儿，内战连续不断。瓦剌共四大部落，四部之一厄鲁特部的一支绰罗斯部人噶尔丹弃僧还俗。噶尔丹虽然还了俗，可实在是不俗，他将瓦剌四部及今天的青海大部收入囊中，并于1669年建立了准噶尔汗国，噶尔丹称汗，从此，瓦剌之名被准噶尔汗国取代。噶尔丹汗出面调解外喀尔喀内部矛盾，然而，土谢图汗对噶尔丹汗不买账。噶尔丹汗大兵压境，土谢图汗惨败。土谢图汗与其弟外喀尔喀地区的宗教领袖哲卜尊丹巴喇嘛一起逃到漠南的清朝地界。

噶尔丹汗恨土谢图汗，但更恨哲卜尊丹巴，他致信给康熙，请求清政府要么杀了哲卜尊丹巴，要么把哲卜尊丹巴交给自己，清朝犹豫不决。哲卜尊丹巴当然不会等死，1688年（康熙二十七年）九月，他把外喀尔喀七部首领召集到一起，在其主导下，外喀尔喀归顺清朝。

既然外喀尔喀成了大清朝不可分割的一部分，准噶尔汗国与外喀尔喀的冲突就转变成了准噶尔汗国与大清帝国的矛盾。康熙要捍卫自己的领土，他率兵亲征噶尔丹汗，乌兰布通（今内蒙古克什克腾旗境内）一场恶战，噶尔丹汗大败而走。

1691年（康熙三十年）四月，康熙在多伦诺尔（今内蒙古多伦县）召集一次由所有蒙古首领参加的大会，史称多伦会盟。清政府保留了外喀尔喀三部首领的汗号，对外喀尔喀贵族分别封以亲王、郡王、贝勒、贝子、镇国公、辅国公等爵位。在康熙的主持下，土谢图汗不情愿地归还了札萨克图汗的全部土地和部众，札萨克图、土谢图和车臣三部各归各地。

康熙先后三次率兵与准噶尔汗国开战，史称"三征噶尔丹"。虽然都打胜了，包括巴特参加的这次科布多局部战争，但并没使准噶尔汗国彻底臣服。准噶尔汗国一直都在暗中积蓄力量，伺机反扑。

雍正继位，准噶尔汗国加紧向外蒙古地区渗透，试图与其抱团取暖，共同对抗清廷。漠南土默特、漠北喀尔喀、漠西准噶尔都是蒙古人，三方有着千丝万缕的联系。归化城地处漠南，南依中原，北望漠北，西视准噶尔，地理位置十分重要，雍正决定到归化城走一趟。

巴特以为雍正的安全保卫工作肯定会由他具体负责，但此事与巴特的分析有些出入，建威将军申慕德却让他操练人马，以防意外。说白了，就是预备队。在发生突发事件出现混乱局面时，巴特才可率军发挥作用。

巴特这项任务说重要，不是最重要；说不重要，责任也不小。巴特每天操练人马，认真履行职责。

雍正来到归化城，札萨克图、土谢图、车臣三部及山西、陕西各地方大员都来谒见皇上。雍正第一件事就是视察军队。申慕德将军觉得巴特的土默特右旗军队训练有素，是归化城各部的精锐，于是，命巴特操演人马。

校军场呈椭圆形，有现在的四个足球场大，东西长，南北窄，北面是看台，南面插着一排箭靶，箭靶的周围是一条七尺多深的环形沟。

雍正由申慕德和各地方大员陪着走上看台。申慕德往下一看，见巴特这支军兵一个个挺着胸，昂着头，目不斜视，精神振奋。申慕德心中有了底，他令旗一晃，巴特开始操练阵法，什么一字长蛇阵，二龙出水阵，天地三才阵，四门兜底阵，五虎驱羊阵，六丁六甲阵，七星北斗阵，八门金锁阵，九死连环阵，十面埋伏阵。阵连阵，阵套阵，千变万化，神鬼莫测。

雍正既没表现出高兴，也没表现出惊讶，他轻轻地问申慕德："训练这支军队的是哪位将军？"

申慕德道："回皇上，是土默特右旗副都统巴特。"

雍正沉思一下："朕听说科布多战场上有一员小将叫巴特，善于掏心战，他和通智劫了准噶尔军的粮队，迫使准噶尔军败走，可是那个巴特吗？"

申慕德忙道："回皇上，正是此人。"

雍正又问："巴特祖上有爵位吗？"

申慕德道："回皇上，巴特的祖先曾是土默特右旗世袭都统，后来因罪削职，降为世袭章盖。"

雍正漫不经心地说："不知他的箭法如何？"

雍正想看巴特的箭法，申慕德暗喜，巴特最擅长的就是射箭，那好，我就让巴特给皇上露一手。

第八章

太夫人的心里一热，桐花这番话虽然中听，可江山易改，本性难移，她会脱胎换骨吗？

申慕德心领神会，他一打旗语，让巴特表演箭法。

巴特把人马带下去，心中激动，能为皇上表演箭法，机会十分难得，我一定要把自己平生所学全部拿出来，为建威将军申慕德争光，为我巴氏家族争光。

巴特跳下马，把马的肚带"啪啪啪"连紧三扣，推鞍不去，扳鞍不回，然后抖擞精神，飞身上马。巴特两脚一蹬镫，"嗒嗒嗒"，这匹马跑进校军场。

巴特立马当场，左手持弓，右手持箭，百步之外，"嗖嗖嗖"连发三箭，分别射中了三个靶心。

看台上的雍正皇帝未动声色，他看也没看申慕德："百步穿杨的功夫好像比这难度还大吧？"

申慕德的心一动，雍正这是不想看巴特静态射靶，他赔着笑脸："皇上，请往下看。"

申慕德再打旗语，下面军兵"啪"抛出一枚铜钱，铜钱由低而高在空中旋转着，当升到最高处要落没落之际，"嗖"，弓弦一响，"当"，一支箭正中铜钱的方孔，箭和铜钱同时落地。"啪啪"，军兵又抛出两枚铜钱，"当当"，两支箭又中铜钱方孔，军兵一片喝彩。

申慕德心说，这回皇上该满意了吧？可雍正依然没有表情，他又问："巴特还能射什么？"

申慕德心中忐忑，巴特的箭法如此精准，皇上居然还不满意？申慕德道："回皇上，巴特还能在行进间射移动靶。"

雍正很随意地说："好吧。"

申慕德手中令旗上下摇了几摇，一个军兵跳进环形沟。接着"咚咚咚"战鼓齐鸣，沟中的军兵举着箭靶奔跑起来。

巴特马绕校场飞驰，箭靶刚露出地面，巴特弯弓如满月，箭走似流星，"嗖"，这箭正中靶的红心，场中响起叫好声。申慕德目测一下，巴特离移动箭靶的距离至少在三十步开外。练武的人都知道，行进间射二十步远的箭靶要比射百步远的树叶还难。申慕德偷偷地看了看雍正，雍正双手扶案，只是静静地看着。

申慕德心里更没底了，巴特这么好的箭法，皇上居然无动于衷！

环形沟里的军兵仍在跑，箭靶一起一伏，不断地快速向前移动。巴特追着箭靶，在离箭靶四十步左右时，第二支箭像长了眼睛一样，"噗"，正中第一支箭的箭尾，第一支箭当即被劈为两半，台下的喝彩声直上九霄。

不要说这么远，箭靶还在运动中，就是五步之内，箭靶不动，要想把前一支箭劈为两半，那也不是一件容易的事。申慕德用眼角的余光扫了一下雍正，雍正全神贯注，目不斜视。

申慕德急，巴特也急，心说，我都要把吃奶的功夫拿出来了，皇上怎么没有一点表示？要不，我离箭靶再远一点？巴特把第三支箭拽了出来，马仍在飞奔，举箭靶的军兵还在沟中奔跑，巴特把弓拉开，他瞄着，瞄着，瞄着……大约在距箭靶五十步时，巴特暗道，能否赢得皇上的赞誉就在此一举了……"嗖——""哧——""噗"，这箭竟把第二支箭也劈开了，并牢牢地钉在箭靶上。

雍正脱口而出："好！"

雍正叫好，申慕德立刻附和，台上台下掌声、喝彩声如雷鸣一般，好半天才平静下来。

申慕德悬着的心刚放下，雍正又问："巴特骑术如何？"

申慕德知道巴特骑术精湛，但他不敢把话说得太大："回皇上，巴特的骑术也值得一看。"

雍正点了点头。申慕德打了几下旗语，当兵的把一只羊赶进校军场。鼓声一响，这只羊惊恐万状。巴特把弓箭往肋下一插，飞马追羊。

马追羊太容易了，转眼之间巴特就到了羊的侧面，巴特甩开右镫，单脚踩在左镫上，右手抠住马鞍上的铁环，探左臂"啪"的一声抓住羊的后腿，巴特往起一提，羊悬空而起，他身子一翻，坐在马鞍上，动作敏捷，干净，利落。

刚才雍正还是双手扶在案上，现在他往后一仰，靠在了椅子背上。显然，巴特飞马擒羊并没打动皇上，申慕德暗中摇头，不行，还得让巴特练绝的。

申慕德令旗一晃，场下的巴特明白了，他骑马到校军场西南角，手中的羊往地上一扔，这只羊一溜烟跑了。这时，军兵又放进两只羊。巴特胯下这匹马就地打了个旋儿，追向两只羊。两只羊一只往左，一只往右，巴特奔左边那只追了过去。大约离这只羊三十余步，巴特双脚离镫，只用右脚尖勾在马鞍的铁环上，头朝地，脚朝天，整个人倒挂在马的左侧。申慕德不由得双手握拳，双脚用力上翘，他在台上替巴特用劲儿。

眨眼间，巴特到了这只羊身后，他抓住这只羊的右后腿，右脚一用劲儿，连人带羊翻上马鞍。申慕德再看雍正，这位皇上还是靠在椅子背上。

申慕德的目光转向场中的巴特，就见巴特把羊往鞍前一担，左手握住羊的两条后腿，身子往下一沉，左脚尖勾住马鞍，身子倒挂在马的右侧。

马在飞驰，羊的前后腿乱蹬。申慕德心中祈祷：西天的佛祖，过往的神灵，地下的列祖列宗，千万千万千千万，一定保佑巴特表演成功……

巴特到了另一只羊的后面，"啪"的一声抓住这只羊的一条后腿，巴特提丹田气，身子一屈，人翻上马背。巴特双手各持一只羊，稳坐在马鞍上。

雍正皇帝椅子往前挪了挪，身子前倾。

两只羊在挣扎，马仍在飞奔。场上的巴特提左脚踩上马的左胯，提右脚踩上马的右胯，巴特重心后移，人从马背上徐徐站起。只见他双手提羊，双臂平伸，就好像是一副担子挑着两只羊。片刻，巴特一条腿抬了起来，整个人就像一只空中滑翔的雄鹰。

　　申慕德大气都不敢出，生怕一口气喷到巴特身上，巴特掉下马。

　　雍正不禁赞道："好……"

　　雍正一个"好"字刚出口，巴特一头从马脖子上栽了下去，人就像断了线的风筝一般。雍正一下子站了起来，台上的大员随之而起，申慕德脑袋"嗡"的一声。

　　雍正和申慕德及台上众人的眼睛一眨不眨地看着校军场，却不见巴特落地，这是怎么回事？突然，巴特身子凌空而起，他一个后滚翻，以头为支点，倒立在马背上，双手仍抓着羊。巴特两臂张开，身子由蜷而伸，由伸而直，仿佛一棵挺拔的青松！继而，巴特放下一条腿，腿与人及双臂呈"上"形。忽左"上"字，忽右"上"字。马仍在飞奔，羊仍在挣扎，可巴特的头却像长在马背上一样，动作优雅自然，美妙绝伦。

　　雍正看呆了，他看的骑术太多了，可没见过人在马上倒立的，更没见过人在马上双手提羊倒立的。巴特如此高超的骑术，在我大清国绝对找不出第二人！

　　雍正终于忍不住了："巴爱卿，小心哪！"

　　申慕德的心都提到了嗓子眼儿，听雍正这么一说，他也道："巴将军，皇上叫你小心。"

　　巴特见好就收，他收缩双腿，用力一蹬，在马上来了个空翻，头和脚旋转一百八十度，稳稳地骑在马背上。

　　雍正使劲儿拍手："好！好！太好啦！"

　　场中的喝彩声如山洪暴发："英雄，巴特；巴特，英雄……"

　　申慕德心花怒放，双手都要拍肿了。

　　雍正向场中的巴特招手："巴爱卿，过来。"

　　巴特放下羊，跳下马，迈大步向看台走去。雍正走下看台，迎向巴特。

巴特跪倒在雍正面前："微臣土默特右旗副都统巴特叩见吾皇万岁！万岁！万万岁！"

雍正皇帝摸了摸巴特的头，又看了看巴特的脚："巴爱卿，能让朕看看你的坐骑吗？"

巴特打了个呼哨，那匹马跑了过来。

雍正看了看马鞍，拽了拽马镫，推了推鞍上的铁环，雍正道："巴爱卿排兵布阵样样精通，弓马技艺天下无双，实乃我大清之栋梁也！今赐黄金百两，黄马褂一件。"

御前侍卫把黄金捧给巴特，巴特接过之后交给自己的随从。御前侍卫又把黄马褂捧给巴特，巴特高高举过头顶，身子微微颤抖，以头触地："谢皇上圣恩。巴特不才，愿誓死捍卫大清，捍卫皇上！"

雍正把巴特搀了起来："巴爱卿，快快平身。"雍正心中欢喜，"嗯，土默特后继有人，看来，恢复右旗世袭都统的时机成熟了。巴爱卿，你可要倍加努力，戒骄戒躁，不负朕望啊！"

巴特的心一动，难道皇上要把世袭都统重新授给我巴家？

博托河两岸，杨柳低垂，风清日丽，成片的良田与草原相连，一直伸向天边。

连日来，巴特一直服侍在雍正身边。雍正皇帝走到田间，只见苗壮的秧苗，翠绿的田野，却不见有人劳作，雍正疑惑地问："巴爱卿，蒙古民族历来以放牧为生，怎么现在也种地了？"

巴特道："皇上龙目如电。蒙古人不习耕种，这都是汉民种的。"

雍正一愣："汉民？"

巴特应道："是。"

雍正脸一沉："巴特，我大清自开国以来，蒙汉分治政策实行了近八十年，汉民不准到蒙疆耕种，蒙民不得到汉地放牧，难道你不知道吗？"

巴特慌忙跪倒："皇上恕罪。山西大旱，百姓饥寒交迫，他们背井离乡逃荒到土默川。申慕德将军及微臣多次向朝廷奏明此事，可朝廷一直没有回音。微臣怕激起民变，就向申慕德将军进言，暂时允许汉民在此耕种。微臣以为，科布多、大库伦驻扎数万军队，从内地运粮，路途遥远，耗费惊人，如果让汉民在此开荒，朝廷就可大量收购他们的余粮。此举既能安抚流民，又能补贴军粮之不足，一举两得，利国利民，还望皇上圣裁。"

大库伦就是现在的蒙古国首都乌兰巴托。

雍正皇帝想了想，既没否定也没肯定："爱卿平身吧。"

巴特道："谢皇上。"

雍正又问："这些汉民住在何处？"

巴特一指不远处的窝棚："皇上，他们就住在窝棚里。"

"他们怎么不出来？"

"这……皇上，这些流民衣不蔽体，微臣怕惊了圣驾，没敢让他们出来。"

"走，过去看看。"

雍正来到一个窝棚前往里一看，见地上铺着干草，草上有张麻袋片。最里边的两条半新不旧的被子算是窝棚里最值钱的了。

这是李大裤衩子的家，那两条被子是春节时，巴拉派人送来的。李大裤衩子一家三口蜷缩在一起，李大裤衩子还是上身赤裸，腰下仍是那条半长不短的大裤衩子，他和媳妇哆哆嗦嗦地跪在地上。

雍正的心一酸："唉，没想到，朕的子民生活如此艰难，都起来吧。"

雍正又看了几家，家家都差不多。雍正动了恻隐之心："巴爱卿，这件事你做得对。"

得到雍正的肯定，巴特当即跪倒："皇上圣明！"

雍正皇帝在归化城巡狩两个多月，详细地了解了军队情况、蒙民情况和走西口汉民的生存状况。回京之后，雍正调整蒙汉分治政策，在土默特左右两旗设置了归化城、萨拉齐、托克托、和林格尔和清水河五个厅，合称"口外五厅"，专门管理汉人事务。厅的上级是归绥道，归绥道的上级是山西省。

蒙民的管理体系没变。后来，口外又增设了绥远城、武川、东胜等六个厅，民国初期，这些厅全部改为县，归化城厅与绥远城厅合并为归绥县。中华人民共和国成立后，1954年，归绥县改为呼和浩特市。1958年，萨拉齐县撤销，设土默特特别旗，土默特特别旗政府驻萨拉齐。1965年，土默特特别旗一分为二，成立土默特右旗和土默特左旗，萨拉齐又成了土默特右旗政府驻地。

此是后话，暂且不提。

送走皇上，巴特回到副都统衙门，桐花带着桐雪迎了出来。

桐花满面春风："夫君，恭喜! 恭喜!"

巴特平静地说："恭喜什么?"

桐花嗲声嗲气："夫君就不要瞒我了，我都听说了，皇上对夫君十分赏识，说要恢复巴家的世袭都统，这不是大喜嘛!"

巴特一笑："皇上只是说恢复右旗世袭都统的时机成熟了，没说恢复巴家的世袭都统。"

桐花两眼都眯成一条缝了："这不一样嘛!"

桐雪也为巴特高兴："姑老爷，小姐特意做了一桌丰盛的酒菜，专门为姑老爷贺喜。"

桐花挽着巴特的胳膊："夫君，快回后宅用饭吧。"

一进后宅，酒肉香气迎面扑来。桐花摘下巴特的顶戴，解下巴特的官服，桐雪接了过去，把巴特的衣冠一一挂好。

这顿饭巴特吃得特别香，结婚这么长时间，巴特第一次感受到桐花的温柔，感受到家庭的快乐。

桐花一改常态，对巴特照顾得无微不至。

桐花对巴特说："夫君，你的副都统就要扭正了，而且还是世袭的。古人升官都要回乡祭祖，你也该到咱们的家庙包头召烧几炷香，是吧?"

听桐花说"咱们的家庙包头召"，巴特甚感快慰，但他却摇了摇头："圣旨还没下来，现在回去太招摇了吧?"

桐花抚在巴特肩上："夫君，咱们祭祖，也不到别的地方去，怎么是招摇呢? 再说，离开沙尔沁这么长时间了，我也很想回去看看。唉，你是不知道，这段时间我一直愧疚难当，晚上睡不着的时候，我就想咱们成亲以来发生的事……我，我错了，我在家里又吵又闹，哪像个官宦人家的小姐? 我觉得挺对不起家人的。我想给奶奶赔个不是，认个错，求得老人家原谅。"

巴特更感动了，他拉着桐花的手："听夫人的，咱们回乡祭祖。"

塞上的初秋本该清爽怡人，可是，天高高的，蓝蓝的，没有一片云，也没有一缕风。灼热的太阳就像大火球一样烤着大地。草原上的野花已不再开放，草穗无力地垂着头。一群牛连草也不吃，趴在水里，任凭蚊子叮咬也不出来。

巴特和桐花的车走得很慢，直到太阳落山才回到沙尔沁。

随从叩打门环，里面问："谁呀？"

桐花喜不自禁："是我，三少奶奶。我和都统少爷回来了。"

仆人打开大门："都统少爷、三少奶奶，我去禀报太夫人。"仆人往里就跑。

哈珠刚给太夫人洗完脚，见太夫人的脚指甲有点长。她没有去倒水，而是拿起剪刀给老人修脚指甲。太夫人坐在炕沿边，垂着双脚，铜盆在老人脚下，老人的一双布鞋在铜盆两侧。

得知巴特和桐花回来了，太夫人的眉毛动了两下。

桐花打发桐雪去收拾西厢房，巴特提着行李，桐花紧随其后，两个人走进上房。

巴特把行李放在炕上，桐花却先跪下了："奶奶，以前的事都是孙媳不好，惹得奶奶生气。这几个月来，孙媳常常吃不香，睡不着。孙媳年少无知，过于任性，还请奶奶责罚。"

太夫人的心里一热，桐花这番话虽然中听，可江山易改，本性难移，她会脱胎换骨吗？

第九章

皇上刚刚加封巴特为世袭都统，这怎么又来了？再看这些人的脸，巴氏族人都紧张起来。

哈珠刚好给太夫人剪完脚指甲。见桐花跪在地上，太夫人怕怠慢了她，想下地把桐花扶起来，忙起身穿鞋。见太夫人的脚伸向铜盆右侧，哈珠麻利地把这只鞋给老人穿上。然而，在哈珠给老人穿右鞋的同时，老人的左脚已经伸向了铜盆左侧。一来太夫人年纪大了，腿脚不灵便；二来太夫人有点着急，一个没留神，脚踩在铜盆沿上，"咣当"盆翻了，洗脚水洒了一地，桐花下半身都是水，哈珠也溅了一身。

桐花的脸就像门帘子似的一下子撂了下来。

哈珠忙把桐花扶起来："三少奶奶，是我不好，我没有及时把水倒掉，我错了，我错了，请三少奶奶责罚。"

太夫人更是过意不去："桐花，快把衣服脱下来，让下人给洗洗。这事不怪哈珠，是我上了岁数，腿脚不中用了。"

桐花却笑了："奶奶，没事，没事的。谁都有老的时候，别放在心上。哈珠，把地上的水收拾一下，别让太夫人滑倒。"

哈珠立刻应道："是是是，三少奶奶。"

哈珠找来抹布，打扫积水。

良言一句三冬暖。太夫人全身涌起一股热流，以前桐花是那么刁蛮，现在却是如此通情达理，这才几个月，桐花跟变了个人似的。最受感动的是巴特，见桐花不但没有像以前那样发火，反倒和颜悦色。巴特的心如同沐浴在冬日的阳光之下，心情无以言表。

巴特都不知说什么好了："桐花，你，你，你可真好……"

桐花娇嗔地笑道："瞧你那傻样。"

就这短短的一句话，巴特仿佛掉进了蜜罐，手都不知该往哪儿放了。

桐花扶太夫人上炕，她坐在太夫人身旁神秘地说："奶奶，告诉你一个天大的好消息！"

"好消息？奶奶就喜欢听好消息。"

"前些日子不是皇上来了吗？"

"啊。"

"我们家巴特不是给皇上操练阵法了吗？"

"啊。"

"我们家巴特不是给皇上表演箭法了吗？"

"啊。"

"我们家巴特不是还给皇上表演马术了吗？"

"啊……"

"我们家巴特不是一直服侍在皇上身边吗？"

太夫人听得很着急："啊，后来呢？"

桐花说得极为夸张："皇上对我们家巴特特别特别欣赏，特别特别满意，特别特别恩宠，当场就答应封我们家巴特都统，而且还是世袭，世袭都统。"

桐花一口一个"我们家巴特"，口气之中，巴特仿佛只是她的丈夫，而不是太夫人的孙子，也不是巴家的三少爷。

太夫人惊讶不已，目光在巴特和桐花两个人脸上移动着："这可太好啦！"

巴特拿起老人的烟袋，一边给太夫人装烟，一边道："奶奶，皇上言语中流露了这个意思，不过，还没下旨呢。"

太夫人追问："皇上是怎么说的？你给奶奶学学。"

桐花抢着说："皇上先说我们家巴特排兵布阵样样精通，弓马技艺天下无双，是大清朝不可多得的栋梁，然后就说恢复我们家巴特世袭都统。奶奶，自古以来，君无戏言。在那么大的校军场，当着那么多将士，这肯定是板上钉钉的事。对了，皇上还赏给我们家巴特一百两黄金和一件黄马褂呢！奶奶，我把黄马褂带回来了，现在请出来，你老人家也开开眼。"

正说着，巴拉和锡兰走了进来，桐花眉开眼笑："大哥、大姐吉，你们来得正好，我把皇上赏给我们家巴特的黄马褂请出来，你们也开开眼，大伙都沾点皇上的福气。哈珠，你也别收拾了，过来过来。"

哈珠已经擦干了地上的水，听桐花叫她，她脸上挂着笑，但笑得并不自然，是僵硬？是勉强？还是迎合桐花？她只是一个下人，没有谁留意。

桐花把行李打开，从最上面取出一个红布包，打开红布包，里面还是个红布包，再打开这层布包，才露出一件叠得整整齐齐的明黄色马褂。桐花双手捧起黄马褂，高高地举过头顶。

见此情景，太夫人把大烟袋一扔，连鞋也没穿，就"扑通"一声跪在地上。巴拉忙右手掸左袖子，左手掸右袖子，又双手掸衣服的前襟，他也跪下了。锡兰、巴特、哈珠全都跪下了，屋里的人一起面向黄马褂叩头。

太夫人、巴拉、锡兰、巴特、哈珠三拜九叩之后，巴特对桐花斥道："快！快把黄马褂收起来，收起来。"

桐花把黄马褂放进布包，太夫人、巴拉、锡兰、巴特、哈珠相继站起，桐花笑逐颜开。

巴特对桐花说："你还笑，还不向黄马褂叩拜？"

桐花敛起笑容，跪向黄马褂。

马褂是清朝官员的一种制服，有带袖和不带袖两种，带袖的很像我们今天穿的短袖衬衫，满语叫倭拉波；不带袖的就是我们平时所说的坎肩，满语称额伦代。马褂的颜色和用料等级分明，贵族或后妃用金黄色，平民只能用土黄色。明黄色最尊贵，是帝王的专用颜色。

清廷只有四种人可以穿黄马褂：第一类是皇上出行时的随行。如各内大臣、御前大臣、御前侍卫等。这些人在随皇上出行时，必须着黄马褂，以示皇家的威严。这种黄马褂叫行职褂子，相当于工作装，非工作期间不能穿。

第二类是随皇上狩猎表现出众所获皇上赏赐的大臣。这种黄马褂称行围褂子。按照规定，只有随皇上狩猎时才可以穿。

第三类是代表皇上的特别钦差。特别钦差一般被特赐黄马褂，通常情况下，被特赐黄马褂的官员须骑马绕紫禁城一周，这种威武而又庄严的仪式，在咸丰年间最为盛行。1894年，甲午战争失败，李鸿章赴日本马关（今下关市）谈判。谈判时，他身着黄马褂，以示代表大清皇帝。李鸿章返回驿馆途中，遭日本浪人小山丰太郎行刺，脸部中枪，血染黄马褂。李鸿章虽受重伤，仍叮嘱随从人员，把身上带有自己鲜血的黄马褂换下来，不要洗掉血迹，保存好，并说"此血可以报国矣"。今天，这件染有李鸿章血迹的黄马褂仍陈列在合肥大兴集李鸿章祠堂的正殿里。

第四类是因特殊功勋而被赐黄马褂的人。这种黄马褂，只有当国家举行大典等郑重场合才能穿，平时须供奉在祖宗堂上，否则，就有谋逆的嫌疑。如果勋臣违法乱纪，皇帝还要将黄马褂收回，以示惩罚。巴特的黄马褂就是这种。这种黄马褂与前面三种人所穿的黄马褂不同，前面三种可以说是职业装，一旦解除职任，是需要上交的。

清朝规矩，无论多大的官，见到黄马褂，文官下轿，武官下马，其威严和圣旨一样。因此，在那个时代，能获得一件皇上赏赐的黄马褂，那绝对是一种至高无上的政治待遇和荣耀。

巴家是蒙古贵族，太夫人见多识广，朝廷上的礼节她都知道。见桐花把黄马褂举过头顶，那就相当于皇上到了眼前，她哪敢坐着。

全家人都为巴特高兴，太夫人转过头对巴特说："这可是巴氏家族的头等大事，孙儿呀，明天一早，你就去包头召家庙告慰列祖列宗，告慰仙逝的老祖宗巴桑。"

桐花道："奶奶，你放心，我和我们家巴特回来就是祭祖的。"

太夫人眼中含泪："好，好，好啊……"

早晨还是阳光灿烂，当巴特和桐花到了家庙包头召时，几片浮云飘来，天边也涌起了乌云。

巴特和桐花先拜了佛，然后步入巴氏祠堂。巴特、桐花摆上供品，烧上香，献上哈达，二人跪在巴氏家族祖先灵位前磕头，道尔吉喇嘛在一旁念经祷告。

突然，巴特的一个随从跑了进来："大人，朝廷的钦差到了庙前，请你马上接旨。"

桐花立刻问："是不是皇上任命我们家巴特当世袭都统？"

随从连连点头："正是，正是，夫人猜得一点没错。"

桐花拉起巴特就走："夫君，快快快，圣旨到了，快接旨！"

两个人出祠堂奔庙门，巴特、桐花跪在钦差面前。

钦差展开圣旨，高声宣读："奉天承运，皇帝诏曰：巴特先祖乃我大清开国之勋臣，原任土默特右旗世袭都统，惜前朝因罪罢黜。今巴特排兵布阵样样精湛，弓马技艺天下无双，其忠可嘉，其材难得，今复祖爵旧制，擢升巴特为土默特右旗世袭都统，子孙罔替。钦此。"

巴特接过圣旨："吾皇万岁！万岁！万万岁！"

桐花在巴特身后也说："吾皇万岁！万岁！万万岁！"

巴特给了钦差一行人赏钱，钦差离庙而去。

桐花乐得都找不着北了："夫君，我说得没错吧？这回你是一品世袭都统，我就是一品夫人了！"

天将午时，巴特和桐花回到沙尔沁章盖衙门。

桐花没进院就大叫："大喜啦！大喜啦！圣旨到了，圣旨到了，我们家巴特已经是世袭都统了……"

巴氏家族全部出动，走在最前面的是太夫人，巴拉和锡兰一左一右搀着，后面依次是巴拉的几个伯伯婶子、堂兄堂嫂、堂弟堂侄。人们按辈分站成四排，哈珠和桐雪等仆人在最后。

巴特一进门，除了太夫人，其他人都跪下了。

巴拉给巴特叩头："下官巴拉叩见土默特右旗世袭都统巴特大人。"

巴特抢步来到巴拉面前，双手把巴拉扶了起来："大哥，这是干什么？二伯伯、三伯伯、四伯伯，二婶、三婶、四婶，快起来！都快起来！"

人们相继站起。

太夫人仿佛年轻了二十岁："巴特呀，你是朝廷的一品大员了，咱们家是官宦门第，规矩是不能少的。"

桐花笑得像花一样："对对对，这是朝廷的规矩，家里人都应该守规矩。"

一听这话，巴拉又带全家人给桐花跪下了："下官巴拉叩见都统夫人。"

桐花就觉得身子一下子飘了起来，如同站在云端，她俯视地上的巴拉、锡兰，以及巴特的几个伯伯婶子……不，不止是巴家人，还有十里八村的百姓……也不，整个章盖的百姓……整个六甲的百姓……不不不，整个土默特右旗的大小官员和百姓都来了，成百上千，成千上万，十几万，几十万人涌来……所有人跪在桐花脚下给她叩头……桐花的脑子在膨胀，心在膨胀，身子越来越高，头就要顶到天了……呀！天怎么这么渺小，地怎么这么狭窄，居然盛不下我……哎！那边怎么还有一个人站着？是太夫人，太夫人怎么不拜我？她居然不给我叩头……

猛然间，桐花的腰被什么撞了一下，她扭头一看，是巴特在用手捅她。

巴特对众人道："大哥、大姐吉，二伯伯、三伯伯、四伯伯，二婶、三婶、四婶，都起来，快都起来，这不是要折我们的寿吗？"

桐花激灵打了个寒战，身子瞬间变小，从云端跌到地面。天还是那么高远，地还是那么广阔。

桐花附和："我们家巴特说得对，说得对，大伙都起来，都起来。"

太夫人拉住巴特的手："孙儿呀，七十多年了，世袭都统又回到我们巴家了，又回来了！这是你的荣耀，也是巴家的荣耀。"

桐花脱口而出："那就杀牛宰羊，为我们家巴特庆贺三天！"

太夫人应道："对对对，庆贺三天，庆贺三天……"

太夫人话音未落，"丁零丁零"，门外传来一阵马的威武铃声，十几匹高头大马停在巴家门前。为首之人身着黄马褂，背后背着一个黄包，脸色严肃，没有一丝笑容。

黄马褂跳下马："巴特何在？"

一看此人的穿着，就知道是皇宫里来的。巴家人都愣了，心说，皇上刚刚加封巴特为世袭都统，这怎么又来了？再看这些人的脸，巴氏族人都紧张起来。

巴特前抢几步："大人，下官就是巴特。"

天阴沉下来，黄马褂的脸仿佛能拧出水："巴特接旨！"

巴特跪倒在地，巴家人也都随之跪下。

黄马褂高声宣读："奉天承运，皇帝诏曰：巴特盗采宝丰山皇家林木，越权僭职，欺君枉上，现将巴特革职查办。钦此。"

巴特当时就傻了："钦差大人，巴特冤枉，巴特冤枉啊！巴特从来没盗采宝丰山林木啊！"

黄马褂道："巴大人，皇上已经把这个案子交给了建威将军申慕德大人，你有什么冤情就到建威将军府说吧。"

黄马褂身后的人上前就把巴特绑起来，桐花跪爬到黄马褂脚下："青天大老爷开恩哪，巴特没有盗采宝丰山林木，真的没有啊！"

黄马褂瞥了桐花一眼："他没盗采，难道山上的树是你砍的吗？"

桐花张口结舌，桐雪忙过来扶起桐花，两个人惊慌失措。

黄马褂众人押着巴特就走，巴特一边走一边回头："奶奶，大哥，你们放心，我没有盗采宝丰山林木，皇上一定会还我清白的，你们不用着急，我很快就会回来。"

一弯残月升了起来，牢房阴冷潮湿，墙上的石头长出了青苔，地上的草散发着霉味。月光斜射着牢门，如同垂暮老人的眼睛，昏花暗淡。巴特倚在牢房的一角，望着月亮发呆。

外面传来脚步声，接着，一缕灯光摇曳而来。狱卒打开牢门，申慕德将军走来。

一见申慕德，巴特仿佛见到救星一般，他"扑通"跪倒："大人，冤枉，巴特冤枉啊！"

申慕德一副恨铁不成钢的样子，训斥道："巴特，你年轻有为，战功卓著，皇上对你何等赏识。可你砍哪儿的树不好，偏偏砍宝丰山的树，那宝丰山上的树是工部准备给皇上修缮皇宫的。你敢砍皇上的树，就不怕皇上砍你的头吗?"

巴特连连叩头:"大人,冤枉,巴特没砍过宝丰山一棵树!"

申慕德狠狠地瞪了巴特一眼:"巴特,到现在你还不承认,你看,这是不是你的笔迹? 这是不是你的官印?"

申慕德把一张纸扔到巴特面前,这正是桐花伪造的那份公文。

巴特看罢大惊:"这不可能,绝不可能! 我从没写过这样的批文! 这是伪造的,一定是伪造的!"

申慕德的口气有所缓和:"就算是伪造的,难道你就没有失察之罪吗?"

第十章

难道是通智让桐花和大盛兴联手陷害我？不可能吧？桐花是通智的亲生女儿，他把亲生女儿嫁给我，又用亲生女儿陷害我，这代价也太大了吧？

宝丰山林木一案，巴特被削职为民，雍正赐的黄马褂也被收了回去。巴特离开归化城副都统衙门，回到沙尔沁。三年前，在科布多战场，自己率兵深入敌后劫宝树安答的粮车，背后莫名其妙地中了一箭，差点丢了性命。三年后，又莫名其妙地出了一张采伐宝丰山林木的公文，到手的一品高官一天没坐，就这么稀里糊涂地丢了，巴特的心难以平静。

蒙古人笃信喇嘛教，太夫人把巴特丢官说成是劫，佛语云：历尽劫难，方成正果。老人开导巴特，万般皆有定数，不要把这事放在心上。太夫人鼓励孙子巴特，年龄就是优势，以后的机会很多。一个人只要胸怀大志，苦练本领，就像骏马，总有一天会在草原上驰骋；就像雄鹰，终究会在蓝天上翱翔。

桐花对宝丰山木材的事懊悔不已，但为了不使巴特怀疑自己，她却说老太太的洗脚水泼在她身上，她沾了晦气，巴特才跟着倒了霉。

巴特不耐烦地说："这与奶奶有什么关系？肯定是有人盗用我的官印。"

桐花心里发虚，嘴上却说："这是哪个缺了大德、伤天害理的衙役干的？申慕德怎么就不好好给查查？"

巴特想不明白，自己的大印明明放在柜子里，锁头好好的，柜子好好的，大印是怎么出去的？还有，朝廷只把巴特罢了官，既没治采伐者的罪，也没有追查那个盗用官印的人，案子不了了之。

巴特理不出头绪，他想忘掉过去，可过去的事情就像夜里的星星，常常不经意之间在脑海中闪动——穿衣，吃饭，读兵书，看天上的鸟，望远方的云，甚至钻进被窝的瞬间……每闪动一下，巴特的心就像被针扎了一次。巴特郁郁寡欢，他不想见人，书也看不下去，只有用练武排解心中的烦闷。

都说时间是治愈心灵创伤的良药。巴特盼望日子过得快一些，最好是一觉醒来，自己就变成白发老翁，过去的事情就像风一样飘过，就像河水一样不再回头。然而，日子慢得像头牛，像蜗牛——好不容易盼到东方发白，可太阳就是不出来；好不容易把太阳盼出来，可就是不落山；好不容易太阳落山，可长夜就是赖着不走……每天夜里，巴特都要几次、十几次下地解手，尽管他控制自己少喝水，不喝水，但都无济于事。巴特听说过后羿射日的故事，他幻想，要是后羿能把黑夜也射走就好了。

和煦的阳光散在博托河上，水面波光粼粼，片片生辉。两岸的庄稼长势喜人，道尔吉喇嘛陪着巴特在河边漫步，李大裤衩子和几个汉人放下手里的锄头迎上前。

"草民叩见都统老爷。"

民都把官叫老爷，大概源于中国百姓对清官无尽的期盼吧。可从古至今，官员何止千万、万万，清官如同三条腿的蛤蟆一样难寻。于是，百姓把官称为父母官，期待他们像父母关爱儿女一样关爱百姓。然而，官并不买账，他们依旧欺压百姓，在百姓头上作威作福。百姓不惜给官再晋升一辈，称他们为老爷。官心安理得地接受老爷的称呼，习惯老爷的称呼，但照样视百姓为牛马。如果百姓胆敢不把他们当老爷，那就是目无本官，藐视公堂，轻则痛打一顿，重则人头落地。

千万不要说百姓缺爹少爷，更不能说百姓可笑，没有一个人愿意把官当爹、当爷供着，他们是无奈，百般无奈！千般无奈！万般无奈！他们就像矮檐下的夜行者，时时刻刻都要低头，甚至低了头还被碰得头破血流。

李大裤衩子等憨实农民当然不会思考"父母官"和"官老爷"词汇的渊源，他们从小就耳濡目染，长辈们称官为"父母官""官老爷"，"父母官"和"官老爷"已经流到了他们的血管里。那些贪官、赃官都是老爷，巴特给了他们安身立命之本，给了他们生路，巴特就更应该是老爷了。

巴特把众人一一搀起："我已经不是副都统，就不要叫我老爷了。"

李大裤衩子叹道："都统老爷，你的事我们都听说了，这没什么，人这一辈子谁没有个七灾八难？别当回事，嚼吧嚼吧就咽下去了，挺吧挺吧就过去了。我没念过书，可我听说姜太公卖过面，秦琼卖过马，杨志卖过刀，汉宣帝要过饭，明太祖当过和尚。可话又说回来，谁都有时来运转的时候，运气要是一来呀，挡都挡不住。都统老爷是包公一样的清官，是为民做主的好官，好人终有好报，说不定哪天就官复原职了。"

其他汉人也说："是啊，都统老爷吉人自有天相。"

听了这些朴实的话语，巴特心中无限感激，自己只是让他们在这里种点地，勉强度日，他们就把自己当清官，当成包公一样的清官。大清的百姓多么可亲啊！

但巴特不想谈这个话题，他道："今年的苗情还不错，秋后一定能有个好收成。"

李大裤衩子道："借都统老爷的吉言，巴家两年没收我们一粒地租，我们心里都有数，我们不是忘恩负义的人。我们都盘算好了，如果今年秋天收成好，我们就把这三年的租子都送到都统老爷府上，四六开，我们四，都统老爷六。"

巴特笑道："巴家收你们六成地租，那不是太黑了嘛！"

李大裤衩子一本正经地说："不黑！不黑！我们山西老家的那些大户才叫黑。他们跟我们三七分成，他们七，我们三，税粮还得我们出。种巴家的地，不用交税粮，还能四六分成，我们知足！"

巴特道："那明年巴家也和你们三七开。"

众汉人你看我，我看你，眼神之中责怪李大裤衩子说漏了嘴，李大裤衩子讪讪地挠了挠脑袋。

巴特哈哈大笑:"哈哈哈……我说的三七开是你们收七,巴家收三,大头给你们。"

众汉人都睁大了眼睛。

巴特道:"现在朝廷允许汉人到草原上开荒,巴家的牧场那么多,闲着也是闲着,你们耕种,我们家有收成;你们不耕种,我们得不到一粒粮食。这是对双方都有利的好事。"

李大裤衩子两手一拍:"那要这样,等收了秋,我回趟山西,把我大爹、二爹、三爹几家人都叫过来,明年多开点地,多种点粮食!"

巴特和李大裤衩子众人谈着、唠着,欢声笑语随着博托河水奔腾地流向远方。

不知不觉,小半天过去了。一匹马飞奔而来,马上之人来到巴特面前跳下坐骑。巴特一看,是巴家的仆人。

仆人给巴特打了个千儿,兴高采烈地说:"都统少爷,通智通大人升任太子太保兼户部侍郎。通大人奉旨赴宁夏治水,路过归化城,建威将军申慕德陪通大人一起来沙尔沁看都统少爷,章盖少爷请你马上回去。"

巴家仆人习惯称巴拉、巴特为少爷。

一听通智升官,科布多战场的情景又浮现在巴特眼前。当年通智贪占宝树安答的军功,逼反宝树安答,我深入敌后想把宝树拉回来,宝树就是忌惮通智才没有迷途知返。在我大获全胜之际,通智突然杀出。本来自己还想留宝树一命,可通智却杀了宝树,又与我共享军功。

想到通智的为人,巴特背后的箭疤一紧,身子一颤。巴特一直认为这支箭是通智所为,只是找不到证据……宝丰山采伐案又出现在脑海,谁能盗用我的官印呢?难道是我身边最近的人?差人?衙役?不可能。钥匙每天都挂在我身上,他们没有机会接触我的衣服呀!会不会是桐花?她会不会趁我晚上睡觉的时候偷走钥匙?对了,她还为大盛兴商号张东家伐木的事说过情,我不同意,她还和我大吵一架,掀翻了桌子。

巴特猛然觉悟,是桐花!肯定是桐花!……难道是通智让桐花和大盛兴联手陷害我?不可能吧?桐花是通智的亲生女儿,他把亲生女儿嫁给我，又用亲生女儿陷害我，这代价也太大了吧？也不对，我被削职这段时间，桐花对我挺好的，对巴家人也不像以前那样高高在上了。

道尔吉喇嘛见巴特发呆，便道："老三，怎么高兴得连迎接岳父大人都忘了？快回去吧。"

巴特跟李大裤衩子等人道了别，就和仆人策马向沙尔沁奔去。

这几年通智可谓官运亨通，从科布多回来时，他还只是个正三品参将，回朝后，不到一年，就升任户部侍郎。户部侍郎相当于现在的财政部副部长，如今，皇上又给他一个太子太保。太子太保虽是个虚衔，但这个虚衔却是从一品。

进入阴历五月，宁夏黄河泛滥，受灾面积不断扩大，雍正皇帝派通智赴宁夏治理水患。通智顺路到归化城，建威将军申慕德虽然也是从一品，可通智毕竟是京官，又是户部侍郎。归化城并不富裕，通智可是财神爷，以后求通智关照的事多着呢。通智提出要到沙尔沁看看女儿女婿，申慕德亲自陪同。

章盖巴拉非常高兴，当初通智主动提出把女儿嫁给三弟巴特，三弟还怀疑这，怀疑那，不愿接受。现在你看看，人家通大人是当朝一品了，是钦差。能为皇上办差，那肯定是皇上身边的红人。通大人带着建威将军来我们小小的章盖衙门，来我们巴家，这不是把巴家捧上天了嘛！如果三弟和通大人不是翁婿，你就是摆上十里长席，人家也不会来。

巴拉带人出章盖衙门十里，以最为隆重的蒙古族迎宾仪式迎接通智和申慕德。蒙古少女唱下马歌，献哈达，敬马奶酒，场面异常热烈。

两位一品大员的仪仗刚停到沙尔沁章盖衙门前，桐花就从西厢房跑了出来，桐雪跟在桐花后面。

桐花扑到通智怀里放声大哭："阿玛，你可想死女儿了，这些年你也不给女儿写封信，我还以为你不要女儿了……"

通智拍着桐花的后背："你是阿玛的女儿，阿玛怎能不要你呢！别哭，别哭，申将军在此，还不上前见礼？"

桐花抹了把眼泪，给申慕德道了个万福："拜见申将军，恭祝申将军福体安康。"

申慕德忙道："桐花侄女，不必多礼，不必多礼。"

通智对桐花道："女儿呀，申将军也是正黄旗满洲，阿玛远在京城，想照顾你也照顾不到，以后有什么事，你就找申将军。"

申慕德应道："对对对，桐花侄女，以后建威将军府就是你的娘家。"

桐花再次下拜："谢申将军，以后少不了麻烦申将军。"

桐花依在通智身边，一步也不离开。

巴特回到章盖衙门，一一拜见通智和申慕德，申慕德恭维道："通大人，你这位女婿年轻有为，可是个了不起的人才。皇上驾临归化城，看了他的骑射龙心大悦，回朝之后就封他为世袭都统。只可惜宝丰山林木一案，皇上震怒。不过，准噶尔蠢蠢欲动，科布多早晚还有一场恶仗，巴特武艺精湛，箭法无双，只要在战场上再立新功，通大人再进几句美言，巴特将军官复原职的日子就指日可待了。"

桐花摇着通智的胳膊："阿玛，是你说巴特文武全才，日后定能飞黄腾达，女儿才答应嫁给他，现在巴特削了职，罢了官，你可不能不管。"

通智安慰桐花："阿玛管，阿玛管，我的女婿我哪能不管？"

巴特对桐花道："桐花，不要为难岳父大人了。"

桐花把脖子一扬："什么为难？你不当官，我嫁给一个平头百姓，那不是毁了我一辈子？"

巴特不由得打了个寒战。

通智和申慕德留宿沙尔沁，巴拉把章盖衙门腾出来，给通智和申慕德居住；把巴家东西厢房腾出来，给通智和申慕德的随从居住。巴拉在衙门外搭起蒙古包，除太夫人外，其他各房各室都睡在蒙古包。

晚饭之后，巴特陪桐花来到通智的房间。通智与桐花几年不见，有说不完的话，巴特知趣地退了出来。使女桐雪为通智和桐花端茶倒水，二更时分，她也回了帐篷。巴特一个人躺在帐篷里，他翻来覆去无法入眠，直到鸡叫三遍，天光渐亮，桐花也没从通智房里出来。巴特心中有一种说不出、道不明的感觉……

这天清晨，太夫人没有敲铜盂。

早餐过后，通智起程赴宁夏，申慕德回归化城。

桐花一夜之间仿佛长高了八尺，两位一品大员，凭什么到一个小小的章盖衙门？是因为我桐花，他们是来看我桐花的！巴家娶了我，祖坟都跟着冒了青烟。桐花看人的眼神、说话的语调、走路的姿势都变了。她高高在上，不可一世，仿佛她不是一品大员的女儿，而是皇上的千金。打骂下人自不必说，对几个伯伯也口出不逊了。

蒙古人吃手扒肉一般都煮八分熟，肉里带点血丝吃着才有嚼头。肉不太烂，筋就更硬了。二伯伯啃骨头上的筋发出"咯吱咯吱"的声音，桐花阴阳怪气地说："听说蒙古人祖先是一只饿狼，我还不信，现在终于明白了。"

巴特忙打圆场："蒙古人的祖先是苍狼和白鹿。"

桐花眼睛一翻："苍狼就不饿吗？"

二伯伯不敢啃了。

三伯伯喜欢喝羊汤，羊汤太热，喝的时候发出"嗞嗞"的声音，桐花就说："咱家的牛没跑到屋里来吧？"

锡兰赔笑："三少奶奶，牛有牛棚，羊有羊圈，怎么会跑到屋里来呢？"

桐花看也不看锡兰："那我怎么听见牛喝水的声音呢！"

三伯伯不喝了。

四伯伯一边剔牙，一边嘬，嘬牙时发出"啧啧啧"的声音，桐花对桐雪急道："有耗子，快打耗子！"

桐雪道："小姐，大白天的，哪有耗子？"

桐花不耐烦地说："我都听见耗子叫了，怎么没耗子？"

四伯伯不敢剔牙了。

浓云像一堵厚厚的棉絮，太阳被缠在里面，无法挣脱。草原的白昼跟黑夜纠缠在一起，拉不断，扯不开。

上房太夫人烟袋敲击铜盂的声音晚了半个时辰。巴家各房闻声起来穿衣，使女仆人扫院子的扫院子，做饭的做饭，倒痰盂的倒痰盂，擦桌子的擦桌子……唯独不见桐花。

天已近午，西厢房的桐花还是没有动静。太夫人连抽了三袋烟，第四袋烟锅里的火就要熄灭了，她缓缓地说："哈珠，去，把巴特叫来。"

"是，太夫人。"

巴特来到上房，太夫人磕了磕烟灰："巴特呀，你媳妇是不是不舒服？"

巴特支吾道："好像是……这些日子，她总是睡不醒。"

太夫人眼神之中露出渴望的神情："她有了？"

巴特摇了摇头。

太夫人悠悠地说："桐花过门快四年了，你们这一辈兄弟八个，除了三个礼佛当了喇嘛，你们兄弟五个就你没孩子，现在，老八媳妇也怀上了。要不，你和桐花请个喇嘛看看？"

巴特咧了咧嘴："嗯，我，我跟她说说。"

巴特回到西厢房，桐花虽然睁着眼睛，可仍躺在被窝里，不知在想什么。

巴特对桐雪说："伺候三少奶奶穿衣、梳头。"

"是，姑老爷。"桐雪应道。

桐花打了个呵欠，又伸了个懒腰，这才坐起来。

桐花漱完口，洗完脸，巴特道："桐花，咱们结婚这么长时间，也该要个孩子了，奶奶为这事很着急，要不咱们请个喇嘛看看？"

桐花门帘子脸一下子就撂下了："要看你看，我不看！"

巴特碰了一鼻子灰。

第十一章

　　申慕德全看明白了，通智这个女儿绝不是贤良之妇，干脆，
早点把她打发就得了。可是，桐花往凳子上一坐，却不走。

　　几个月之后，巴特的堂弟老八媳妇生了个男孩，太夫人特别高兴，她
让哈珠告诉厨房，炖一盆羊蹄子，再杀一只不下蛋的老母鸡，给老八媳妇
催奶补身子。

　　哈珠出了上房，迎面碰上巴特。不知从什么时候开始，每次见哈珠，
巴特心中都生出一种莫名其妙的亲近感："哈珠，你去哪儿?"

　　哈珠低着头，把太夫人的话学说一遍。巴特心中怆然，想到哈珠也结
过婚，巴特下意识地问："你有孩子吗?"

　　哈珠犹豫一下："回都统少爷，哈珠有……有个儿子。"

　　巴特问："儿子在哪儿? 为什么不把儿子带来?"

　　哈珠眼圈一红："儿子，儿子丢了……"

　　巴特大惊："什么? 儿子丢了? 这么大事怎么从没听你说起?"

　　哈珠咬着嘴唇，眼神之中露出一道寒光。

　　巴特追问："为什么不去找……"

　　"哪来的儿子?"桐花突然出现在巴特和哈珠身后，她正颜厉色。

　　哈珠忙向桐花道了个万福："三少奶奶。"

桐花眼睛一瞪："我问你哪来的儿子?"

巴特解释说："是哈珠的亲生骨肉。"

桐花没理巴特，而是逼视哈珠："当然是亲生骨肉，我问她跟谁生的亲生骨肉?"

见桐花凶得像个母夜叉，巴特对哈珠道："你先去吧，我跟三少奶奶说。"

哈珠刚要走，桐花大喝一声："站住！别以为我不知道，今天不把儿子的事说清楚，谁也别想走!"

见桐花怀疑自己，巴特只得向桐花解释。

桐花哪肯相信，目光在巴特和哈珠脸上搜索着，她质问哈珠："我问你，这孩子是谁的?"

哈珠道："我男人被人害死了，留下一个儿子。"

桐花眼睛死死地盯着哈珠："这孩子是巴家的吧?"

哈珠使劲儿摇头："不不不，三少奶奶，我这孩子跟巴家一点关系也没有。奴婢家在漠北……"哈珠一下子捂住了嘴，没往下说。

桐花厉声问："你不是本旗二甲的吗? 怎么成漠北人了?"

哈珠一时没答上来。

桐花恨不能盯到哈珠的骨头里："两个人张口儿子，闭口儿子，拿我当傻子吗?"

哈珠恨不能把心都掏出来，可桐花一句也听不进去。桐花如同审案的官老爷一般："太夫人叫你去厨房干什么?"

哈珠道："八少奶奶刚生个儿子，太夫人让奴婢告诉厨房炖一盆羊蹄，再杀只不下蛋的老母鸡……"

哈珠话还没说完，"啪"，桐花一巴掌打在哈珠脸上："你敢指桑骂槐，我打死你!"

哈珠"扑通"跪倒："奴婢不敢，奴婢不敢，是太夫人这样吩咐的。"

巴特一把拽过桐花："奶奶让厨房炖羊蹄，杀老母鸡，这与你有什么关系?"

桐花眼睛瞪得跟牛眼似的："好哇，你也骂我是不下蛋的老母鸡! 我就是不下蛋的老母鸡，怎么了？怎么了？"

巴特压着心中的怒气，声音尽量放低："我什么时候说你是不下蛋的老母鸡了？老八媳妇在坐月子，你小点声行不？"

桐花手一甩："事都做了，还怕别人听吗？我就这么大声！怎么了？"

太夫人从上房走了出来，老人和颜悦色："老三媳妇，不要吵了，是我让哈珠告诉厨房炖羊蹄、杀老母鸡的。老八媳妇身子弱，奶水不足……"

桐花一个高蹦了起来，她双手叉腰，眼睛看着巴特，话却是对太夫人："嫌我是老母鸡，嫌我不下蛋，我就不下蛋，气死你！气死你！娶了我你就倒了八辈子霉！我让你这辈绝户，下辈绝户，辈辈绝户！"

多子多福是中国的传统观念，草原人丁不旺，蒙古人更是如此。老人无不希望儿孙满堂，承欢膝下，最忌讳的就是绝户。

太夫人嘴唇颤动："反了！反了……"老人身子一软，瘫了下去，人事不知。

哈珠扑过来："太夫人，太夫人……"

"奶奶，奶奶……"

各房听到哈珠和巴特的惊叫声都跑了出来，巴特和几个兄弟把太夫人抬进上房，锡兰呼唤了好半天，太夫人才睁开眼睛。

院子里的桐花不依不饶，她跳着脚骂："少跟我装死，我不怕！表面跟个人似的，一肚子花花肠子。给我两只破镯子，明明是下等货，还说是翡翠的，不让这个知道，不让那个知道，还不是怕人看出来是假的！我一过门就看我不顺眼，满满一盆洗脚水，全扣在了我身上。从那以后，我们就倒了大霉，到了手的世袭都统，没坐一天就被罢了官。这些我都不说，我忍了，可蹬鼻子上脸，每天让那小妖精勾引我男人，两个人眉来眼去，连儿子都有了，还拿我当傻子！骂我是不下蛋的老母鸡，有人下蛋，还用我下什么蛋？我就不下！"

桐雪出来拉桐花，桐花哪里肯听，她唾沫乱飞，嗓门一声比一声高。

太夫人屋中的八弟实在听不下去了，他对巴特说："三哥，你就不能管管她？"

巴特双眉往上一挑，"腾腾腾"来到外面，巴特手指点在桐花的鼻子上："你给我住嘴!"

桐花心生怯意,嘴却很硬:"让我住嘴,除非我是哑巴!我让大伙都听听,拿破镯子糊弄我,往我身上倒洗脚水,让小妖精勾引我男人,还骂我是不下蛋的老母鸡……"

"啪",巴特一巴掌扇在桐花脸上,桐花"噔噔噔"倒退三步,"扑通"坐在地上,一张嘴,一口血吐了出来,左边脸顿时比右边高出半寸。

桐花大叫:"我是太子太保、户部侍郎的女儿,正黄旗满洲。你敢打我,我跟你拼了!"她爬起来就往巴特脸上抓,巴特揪住桐花的头发,把她拽往西厢房。

桐花拼命挣扎:"你打我,我让我阿玛把你们全家杀光,一个不留!"

桐雪想把巴特拉开,可巴特是一员武将,万马军中如入无人之境,桐雪一个弱女子,哪里拉得开。

"姑老爷,别打了,别打了……"

巴特手一扬,桐雪被甩出七八步。

巴特真急了,他一摁桐花的头,桐花的脸就贴了地:"你还骂不骂?"

桐花并不示弱:"我就骂!我就骂!让我阿玛把你们全家杀光,一个不留……"

巴拉从外面跑了进来,他老远就喊:"老三,放手!快放手!"

巴拉把巴特拉开了,桐雪趁机把桐花扶进西厢房,桐花放声大哭:"阿玛呀,你可害苦女儿了,他们打死我了……"

入夜,巴特和桐花一个在炕头,一个在炕梢;一个脸朝左,一个脸朝右,中间是一张八仙桌子。两个人和衣而卧,巴特翻来覆去睡不着,往事一幕幕出现在眼前。自从娶了桐花,自己整天提心吊胆,就怕她胡搅蛮缠。可越怕,她越闹事,过门第一个年就把奶奶气昏了。尤其是通智来了一趟沙尔沁,天底下都放不下她了,她竟然再次把奶奶气昏。这哪是官宦家的小姐,分明是泼妇!是悍女!

巴特迷迷糊糊,鸡叫二遍,才闭上眼睛。

早晨,上房烟袋敲击铜盂的声音没有按时响起。巴特醒来时,太阳已经很高了。

巴特揉了揉眼睛，他往八仙桌子那边一看，桐花没了。

巴特叫道："桐雪？"

桐雪从外屋走了进来："姑老爷。"

巴特吩咐道："给我打水洗脸。"

"是。"桐雪应道。

巴特一边洗脸，一边问："她去哪儿了？"

桐雪吞吞吐吐："不，不知道……"

巴特喝问："她到底去哪儿了？"

桐雪吓得一哆嗦："姑老爷，小姐，小姐去归化城建威将军衙署了。"

清晨，巴家大门刚开，桐花骑马出门，桐雪追上去想拦住她。可桐花执意要走，她扬言要到建威将军衙署告巴特。桐雪劝她，桐花反踹了桐雪一脚，骂桐雪不跟自己一条心，她纵马而去。

虽然巴特打了桐花，可桐花毕竟是他的结发妻子。一个年轻女子独自去归化城，万一路上出点什么事，自己良心上也过不去。

巴特抹了两把脸就走出房门，他牵过一匹马，奔归化城方向追去。

直到归化城，也没见到桐花的影子。巴特的心七上八下，我对她是不是有点过分，她可千万别寻短见……巴特大脑一阵混乱。

归化城街上熙熙攘攘，各商号门前车水马龙，叫买的、叫卖的此起彼伏。

巴特来到建威将军衙署门前，当值的两个军兵认出了他。衙署里的人都知道巴特的大名，虽然巴特被罢了官，可他们还是很尊敬巴特，仍"大人大人"地称呼巴特。

一个被罢官的草民，哪里担当起大人的称呼？巴特问桐花来了没有，两个人不认识桐花，说有个女子自称是太子太保、户部侍郎通大人的女儿，刚刚进去。

巴特步入厅堂，见建威将军申慕德端坐在上，桐花跪在地下一把鼻涕一把泪："将军，你可得给我做主啊，我可活不了了，巴家下人骂，主人打；老的往我身上泼洗脚水，少的不拿我当人。看在我阿玛的面上，你救救我吧。呜……"

申慕德叫人搬过一个凳子："侄女啊，别哭了，有什么话慢慢说。要是巴特不对，我让他给你认错赔情。"

正说着，巴特走了进来："叩见将军。"

一见巴特，桐花张牙舞爪地扑了过来："你打死我吧，你打死我吧，我不活了，我不活了……"桐花一边说，一边往巴特怀里撞。

巴特碍于脸面，只得往后躲。

申慕德一拍虎威："不要吵！"

虎威就是通常所说的惊堂木。不过，惊堂木因使用者身份不同，名称也不一样，皇帝用的叫龙胆，娘娘用的叫凤匣；武将用的叫虎威，文官用的叫惊堂木；和尚、私塾先生用的叫镇尺，说书人用的叫醒木。申慕德是武官，所以，惊堂木在他手中就叫虎威。

桐花看了看申慕德，愤愤地站到一旁。

申慕德责问："巴特，桐花是你的结发妻子，你为什么下那么重的手打她？"

没等巴特说话，桐花又哭开了："将军，就因为我没给他生孩子，巴家上上下下都骂我是不下蛋的老母鸡。我辩白几句，他举手就打，还把我的嘴摁在地上吃土。将军，你看我的脸被他打的，你看，你看，呜……"

桐花的脸一边高一边低，一边厚一边薄，申慕德早就看见了："不生孩子请个喇嘛、郎中看看，说不定吃几服药就有了。何必这样啊？"

桐花抹着眼泪："将军哪，我也这么说，可他们家舍不得银子，天天指桑骂槐。我是没法活了……"

申慕德问巴特："是不是这么回事？"

家丑不可外扬。巴特哪好意思解释，他低头不语。

桐花边哭边说："将军，你看，他没话可说吧？你和我阿玛都是正黄旗满洲，我在土默特没有亲人，将军就是桐花的亲人，将军可得给侄女做主啊！"

申慕德问："你想让我怎么给你做主？"

桐花把牙一咬："把他关进大狱，打他个半死！要不我这口气出不来。"

申慕德道："本将军把他关起来不成问题，可关起巴特，不是还得你来送饭吗？一日夫妻百日恩，百日夫妻似海深。你们成亲都四年了，这种气话就不要说了。巴特，你是男人，男人要大度一些，给你夫人赔个情，认个错。"

巴特向桐花道："我错了，我不该打你。"

申慕德劝桐花："巴特已经向你认错了，回去好好过日子吧。"

桐花脑袋一晃："认错就完了？打我就白打了？我不跟他回去，我不跟他过了。"

申慕德道："大清国都是男人休女人，哪有女人休男人的？你要出不了这口气，就打巴特几下。"

闻听此话，桐花蹿到巴特面前，抢起巴掌就打，"啪啪啪……"桐花左右开弓，一口气打了巴特十几记耳光还不罢休。巴特对昨天的事很后悔，男子汉大丈夫，有本事我到战场上杀敌立功，打老婆算什么能耐？因为心中愧疚，巴特一动没动，任凭桐花打。虽然桐花是个女子，可这十几下也着实不轻，巴特的脸肿了起来，火烧火燎地难受。

申慕德有点看不下去了，他制止了桐花。可桐花哪肯罢休，桐花把大堂上衙役打犯人的板子抄了起来，她举过头顶，照巴特脑门就劈。

申慕德大惊，打犯人都是打屁股，从不往头上打的。小两口打架，怎么能下如此狠手！申慕德想阻止已经来不及了。巴特反应迅速，见板子到了，他往旁一闪，"哐"的一声，桐花打在了地上，地上的方砖把板子反弹回来。桐花就觉得虎口发胀，两臂发酸，腕子跟脱臼似的疼痛。桐花手一松，板子落在地上，"啪"的一声，砸在了她自己脚上。

桐花一屁股坐在地上："你这个天杀的，我没打着你，你反打我，我可不活了……"

打人家没打着，反砸了自己的脚，还骂别人打她。申慕德看得清清楚楚，心中道，这不是泼妇吗？

申慕德想把桐花轰出去，可又一想，她毕竟是通智的女儿，打狗还得看主人。申慕德命衙役把巴特关进大牢。

申慕德口气中带有几分嘲讽，对桐花说："这回你满意了吧？"

桐花还不解恨："将军，不能轻饶他，给他上大枷，剥他的皮，抽他的筋！"

申慕德暗自皱眉，这哪是夫妻，分明是八辈子冤家！他不冷不热地道："要是巴特死了，你怎么办？"

桐花脱口而出："死了才好。他前脚死，我后脚就改嫁！"

申慕德全看明白了，通智这个女儿绝不是贤良之妇，干脆，早点把她打发就得了。可是，桐花往凳子上一坐，却不走。

申慕德不软不硬："清官难断家务事。两口子哪有不吵架的？炕头吵，炕梢和，没什么大不了的，你先回去吧。"

桐花心中道，你不是说建威将军衙署就是我的家吗？怎么说话不算数了？

申慕德看出了桐花的心思："如果是平常，我会留你多住几天，可人说宁拆十座庙，不破一桩婚。要不这样，我派两个人送你回去。"

桐花灵机一动，申慕德送我回去，这就是给我撑腰！我要让他们巴家看看，我桐花不是好欺负的！

第十二章

　　哈珠跳下马，李大裤衩子从屋里迎了出来。因为太远，两个人说了什么巴特听不见，就见哈珠急匆匆地进了屋。巴特纳闷，哈珠和李大裤衩子怎么这么熟悉？

　　在建威将军衙署军兵的护送下，桐花趾高气扬地回到沙尔沁。

　　锡兰赔着笑："三少奶奶，你回来了。"

　　桐花眼皮都没抬："我除了挨打，还有什么本事？不回来，还能去哪儿？"

　　桐雪迎了上来，桐花吩咐桐雪："你去，叫厨房，给建威将军衙署的差官炒一桌子好菜，把窖里的陈年老酒都拿出来。人家一路辛苦把我送回来，怎么也不能让人家饿肚子。"

　　"是……"桐雪应道，但没马上走，她低声问，"小姐，姑老爷回来了吗？"

　　桐花冷冷地说："他死到哪儿，我哪知道？"说完，哼着小曲，扭扭搭搭地进了西厢房。

　　桐雪安排完厨房，来向桐花回话，她又问到了巴特，桐花狠狠地说："我让建威将军把他关进了大狱。"

　　桐雪睁大了眼睛："小姐，你这，这不闹大了吗？"

桐花把脖子一扬："我就是要闹大，我要让他们家看看，什么是朝廷命官的女儿，什么是正黄旗满洲家的小姐。哼！碰倒我一根汗毛，就得跪着给我扶起来！"

桐雪压低声音说："小姐，你小点声，别让人听见。"

桐花的声音更大了："我就是让他们听见，我不但要把他关进大狱，还要剥他一层皮，打他个筋断骨折，满地找牙！"

巴拉在章盖衙门处理日常事务，得知桐花回来了，他想去安慰几句，可刚到西厢房，就听见了桐花和桐雪的说话声。巴拉大惊失色，难道巴特真被申慕德关进了监狱？如果这样，这可如何是好？

巴拉给两个军兵每人五十两银子。酒桌上，巴拉又是斟酒，又是布菜，殷勤备至。两个军兵你一言，我一语，把桐花到建威将军衙署告状，举板子打巴特，以及巴特被申慕德投入监狱的经过告诉了巴拉。

巴拉心如油煎，他暗中埋怨巴特，哪个官宦人家的公子小姐不是高人一等？就算是当朝驸马，在公主面前也得低三下四。通智的女儿虽然不是公主，可什么鸡孵什么鸟，什么马下什么驹，人家阿玛是当朝一品，她肯定要有架子，我们宽容点、大度点，不就过去了？我们的小命都在人家阿玛手里攥着，老三还要靠人家提携，要想官复原职，朝中没有人替你说话，那怎么可能？

两个军兵在章盖衙门住了一夜，第二天，巴拉随他们一起去了建威将军衙署。申慕德把巴特叫到大堂，巴拉、巴特兄弟相逢。巴特的脸虽然还肿着，但衣着整齐，身上不见别的伤痕，巴拉的心才放下。

这场风波之后，桐花在巴家可谓如日中天，想打谁就打谁，想骂谁就骂谁。巴家人见桐花就躲，仿佛遇到瘟神一般。桐雪却主动与巴家人接触，偶尔还给太夫人装袋烟，帮八少奶奶抱抱孩子，跟巴家下人拉拉家常……巴家人觉得这个使女倒挺通达事理。

朝廷允许汉民到土默川开荒种粮，晋陕汉人大量涌向草原。沙尔沁蒙民把土质好的地方租给汉人耕种，土质差的地方放牧。蒙汉百姓互利互惠，和谐相处。

私凭文书官凭印。蒙汉百姓之间土地租赁事务多了起来，合同也产生了。可是，蒙民能看懂蒙古文，不认识汉字；汉民认识汉字，看不懂蒙古文。所以，合同需要用蒙汉两种文字书写，这就得请蒙汉兼通的人为双方代写合同。然而，沙尔沁太小，这样的人才实在太少。

巴特赋闲在家，除了习文练武，没事可做，他就为蒙汉百姓写起了合同。

在口外五厅中，萨拉齐地盘最大。南到黄河，北达茂明安，东接归化城，西抵河套，这么大片片区域中的汉人事务都归萨拉齐厅管。因此，萨拉齐商贾云集，买卖兴隆。沙尔沁离萨拉齐四五十里，沙尔沁的蒙民购买生活用品常去萨拉齐。

巴特吃过早饭就去了萨拉齐。午后，李大裤衩子等十几个蒙汉百姓来请巴特写合同，太夫人对哈珠说："哈珠，你到西厢房看看，巴特回来没有。"

自从上次巴特和桐花吵架，哈珠一直没和桐花正面接触，她很不愿意见桐花，也不想见巴特，可太夫人说了，她不能不去。

哈珠来到西厢房门外，偷偷地往里看，桐花和桐雪正在玩嘎拉哈，不见有巴特身影。

嘎拉哈是满语，也叫嘎拉，就是动物的膑骨。玩嘎拉哈是满人的一种游戏，清朝入主中原后传到各地。

牛马猪羊都有嘎拉哈，但牛马的太大，羊的太小，游戏娱乐一般都用猪嘎拉哈。嘎拉哈有四个面：珍儿、轮儿、肚儿、坑儿。玩嘎拉哈通常是两个人。如果是四个人，就分成两伙。

嘎拉哈有两种玩法：一种是翻，一种叫挑。翻，就是用四个或六个嘎拉哈，配一个鸡蛋大小的米口袋。玩时把嘎拉哈掷在炕上，向空中抛口袋，接一次口袋数一个数，并在口袋抛向空中的瞬间翻嘎拉哈。手快的抛一次口袋可翻两三个，手慢的一个也翻不过来。所有的嘎拉哈要分别翻成清一色的珍儿、轮儿、肚儿、坑儿四种。一般要在双方约定的数内翻完，在约定的数内翻不完，就交给对方。

挑，首先要确定玩者的先后顺序，玩前把几个嘎拉哈掷在炕上，谁掷出的"珍儿"多谁在先。在先者双手捧一堆嘎拉哈掷到炕上，掷的同时口中念"嘎拉嘎拉珍儿多",然后把掷到炕上的"珍儿"三个一组单手捡回来。掷那么多嘎拉哈难免有挨着、摞着的,捡的时候不能碰到其他的,碰到就得停手,把剩下的嘎拉哈交给对方掷。当捡到最后一个"珍儿"时,要捏住这个"珍儿"的一角,用这个"珍儿"把不是"珍儿"的挑成"珍儿"。一个不是"珍儿"的只准挑一次,挑不出"珍儿"来,就把剩下的嘎拉哈交给对方掷。最后,谁捡回的嘎拉哈多谁赢。

哈珠想把使女桐雪叫出来,问问巴特什么时候回来,然后向太夫人回话。可桐花怀疑哈珠和巴特关系不正常,如果哈珠向桐雪打听巴特,桐花不知要说什么难听的话。

哈珠犹豫再三,还是低着头回到上房。

太夫人问:"巴特回来没有?"

"没有……"

"什么时候回来?"

"我,我没敢……我见三少奶奶和桐雪在玩嘎拉哈,哈珠怕扫三少奶奶的兴。"

太夫人抽了两口烟:"他们等着写合同,也不知道巴特什么时候回来。"

哈珠看了看太夫人:"要不,要不哈珠试试?"

太夫人一怔:"你会写汉字?"

"嗯。"

"也会写蒙古文?"

"会。"

太夫人又惊又喜:"你有这么大学问怎么不早说?快!去吧去吧。"

哈珠答应一声来到前厅,李大裤衩子看了看哈珠,哈珠向李大裤衩子点了点头,两个人好像很熟悉。

哈珠向众人解释:"很抱歉,我家都统少爷早晨去了萨拉齐,现在还没回来,要是大家信得过,哈珠愿代劳。"

李大裤衩子道:"行行行,把事写明白了就行。"

哈珠提起笔:"谁先来?"

一个蒙民道："那就先给我写吧。我在南海子那儿有一片生地，王老五要租，我们俩商量好了，秋后打下的粮食一成给我，九成归他；第二年二成给我，八成归他；第三年以后就是三七，我三，他七。"

生地就是荒了多年的地。相对于生地的是熟地，熟地就是一年前耕种过的地。

王老五走了过来："对，就是这么回事。"

按照两个人的意思，哈珠草拟了一份合同，又用蒙汉文各念一遍，两个人都挺满意。

哈珠写到第三个合同时，巴特走了进来："哈珠，真没看出来，你还会写合同？"

众蒙汉百姓说："会写，会写，还写得挺好呢！"

哈珠忙站了起来："都统少爷，你，你不在家，他们着急，我，我就献丑了。"

巴特看着合同："嗯，语言简练，通俗易懂；笔锋饱满，刚柔并蓄……哈珠，你到我们家这么多年了，从没见你动过笔，没想到你的字这么漂亮。"

哈珠不好意思："提笔忘字，胡乱写，胡乱写……"

巴特和哈珠一起为大家写合同，很快就写完了。蒙汉百姓散去，巴特想跟哈珠搭讪几句，他向西厢房看了一眼，见桐花正站在门前向这边张望，巴特把到了嘴边的话咽了回去。

道尔吉从小出家当喇嘛，除了研读佛法，对藏药、武学、蒙满汉文也都有很深的造诣。春种之后，巴特就来家庙包头召，和二哥道尔吉谈古论今，切磋武艺。

博托河水清草绿，空气怡人。以前那些散落在两岸的窝棚已被一幢幢土房所取代，并形成了隔河相望、东西相对的两个小村子。东村传来几声鸡鸣，西村传来几声犬吠，人在其中，如置身于一幅美丽的田园画中。

道尔吉喇嘛和巴特走在河的西岸，巴特问："二哥，前几天，有位老人讲，博托是有鹿的地方，博托河是有鹿饮水的河，说以前这里树木繁茂，水流潺潺，常有鹿群来河边饮水。可这么多年了，我也没见过河边有鹿啊。"

道尔吉喇嘛摇了摇头："博托，汉人也写成包头、包克图、泊头，无论博托、包头、包克图、泊头，都是巴特，跟你的名字一样，是英雄的意思，怎么会是有鹿的地方呢？咱们的包头召本意就是英雄的寺院，最初庙里供奉着巴氏家族征战阵亡的先人，后来扩建成了喇嘛庙。至于有鹿的地方，是因为走西口的汉人居住在博托河两岸，博托河水养育了他们，他们就给博托赋予了这个故事。"

巴特顿开茅塞："对对对，包头、包克图、博托、泊头，在我们蒙古语中发音都一样。二哥说得有道理。"

道尔吉喇嘛又说："博托河两岸的村子也因河而得名，东边的叫东博托村，西边的叫西博托村。前几天萨拉齐厅来了几个汉官，他们说博托村有写成包头村的，有写成泊头村的，还有写成包克图村的，很不规范。他们说，我们的家庙包头召是这里最早的建筑，以后要把两岸的村子统一写为包头村。"

弟兄两个正说着，一匹马风驰电掣般地跑来。这匹马穿过东村，趟过博托河，直奔西村。

巴特定睛一看，马上之人不是哈珠嘛！

哈珠在一个篱笆小院前停了下来。哈珠跳下马，李大裤衩子从屋里迎了出来。因为太远，两个人说了什么巴特听不见，就见哈珠急匆匆地进了屋。

巴特纳闷，哈珠和李大裤衩子怎么这么熟悉？巴特跟二哥道尔吉喇嘛道了别，就奔李大裤衩子家去了。

李大裤衩子家是两间小土房，土房的窗户不大，上面糊着一层窗户纸。巴特穿过小院，推开门，悄悄地走进屋。

屋里炕上躺着一个六七岁的小男孩，哈珠望着孩子，用汉语焦急地问李大裤衩子媳妇："李大嫂，我儿子什么时候病的？"

李大裤衩子媳妇看着孩子说："三天了。今天孩子昏迷不醒，我们夫妻急得团团转，实在没有办法，这才给你送信。"

哈珠把小男孩抱在怀里："儿子，儿子，你醒醒，额吉看你来了……"

哈珠连叫数声，小男孩紧闭双眼，一声不吭。

哈珠眼泪扑簌簌地掉了下来："儿子，你看额吉一眼……儿子，你可不能吓唬额吉……"

猛然间，见巴特站在旁边。哈珠立刻止住哭声，她犹豫一下，把孩子放在炕上。

巴特惊诧地问："这是你的孩子?"

哈珠惊魂未定，她点了点头，又摇了摇头。

巴特见小男孩脸色通红，嘴唇发紫，用手一摸，孩子的额头很烫。巴特抱起小男孩就走。

哈珠眼中露出两道寒光，大叫："放开我儿子!"

巴特吓了一跳，哈珠平时温静贤淑，对他毕恭毕敬，今天的口气怎么如此强硬?可转念一想，人家的骨肉病成这样，当额吉的心焦，这也在情理之中。

巴特没放在心上，他仍抱着孩子，一边往外走，一边对哈珠说："孩子烧得这么厉害，再不马上治疗就危险了。我二哥道尔吉喇嘛懂得藏医藏药，或许他能治孩子的病。"

哈珠愣愣地看着巴特，李大裤衩子媳妇一拉哈珠："妹子，就请道尔吉师父看看吧。"

出了李家，巴特一路小跑，李大裤衩子两口子和哈珠紧随其后。

一进包头召，巴特就高声呼唤："二哥! 二哥!"

道尔吉喇嘛走出禅房："老三，怎么了?"

巴特忙不迭地说："二哥，你快看看，这孩子烧得跟火似的。"

哈珠"扑通"跪倒："二少爷，你发发慈悲，救救我儿子吧!"

李大裤衩子两口子也跪下了："道尔吉师父，我们也求你了!"

巴特把孩子放在炕上，道尔吉摸了摸孩子的额头，又翻开孩子的眼皮看了看，他转身进入灶房。道尔吉喇嘛点上火，烧了半盆温水，他把一块布在水盆里洇湿，然后拧了拧，在孩子前胸、后背、腋窝、手脚心擦了几遍。没用一袋烟时间，孩子的烧退了一些。

可孩子仍是两眼紧闭。道尔吉喇嘛又拉开柜子，取出一个小皮囊。拔开小皮囊的塞子，从里面倒出一捏药粉放在孩子的鼻孔前。道尔吉喇嘛轻轻地吹了口气，药粉飞入孩子鼻孔。

道尔吉喇嘛双手合十，盘息而坐，念起经来。

哈珠跪在佛前，又是烧香，又是拜佛，又是祷告。李大裤衩子两口子也陪哈珠一起跪着。

一个时辰过去了，"啊欠"，孩子打了个喷嚏，眼睛睁开了："娘，我渴，我要喝水。"

孩子说的是汉话。

哈珠和李大裤衩子媳妇起身，两个人同时扑了过去。

哈珠端过一碗水，手不停地颤抖："儿子，喝水。"

孩子看了看哈珠，没喝："你是谁？"

哈珠神色紧张："我，我是你额吉呀！"

孩子有些茫然："额吉？额吉是什么？"

哈珠柔柔地说："额吉就是亲娘，我是你亲娘啊。"

孩子一推哈珠："不，你不是我亲娘。"

孩子把手伸向李大裤衩子媳妇："娘，娘，给我水……"

巴特心生迷雾，到底谁是孩子的亲生母亲？

第十三章

哈珠知道我和桐花没有什么感情，她不会因为桐花而对我动刀。难道哈珠真是想到了她的过去？那她的过去是怎样的？那把刀又和哈珠的过去有什么关系？巴特满腹疑惑……

李大裤衩子媳妇和哈珠对视一下，哈珠把水给了李大裤衩子媳妇。李大裤衩子媳妇一手托着孩子的头，一手把水端到孩子嘴边，"咕嘟咕嘟"，孩子把一碗水都喝了下去。

哈珠手扶门框，双肩不停地抽动。

孩子在李大裤衩子媳妇怀中很安详："娘，我饿。"

哈珠立刻转过身，眼睛直直地望着孩子，巴特见哈珠已是泪流满面。

道尔吉喇嘛把一盘面点端到孩子面前，哈珠上前，她伸手拿一块递到孩子嘴边，泪眼中充满无限慈爱："孩子，吃吧……"

孩子不张嘴，而是看李大裤衩子媳妇。

李大裤衩子媳妇对孩子说："宝贝儿，吃吧。"

孩子不吃，也不说话，只是看着面点。哈珠紧咬嘴唇，她把面点给了李大裤衩子媳妇。李大裤衩子媳妇把面点放在孩子嘴边，孩子香甜地吃了起来。

哈珠眼泪成串成串地往下落，她冲出禅房，疾步而去，身后传来撕心裂肺的哭号。

巴特追了出去，哈珠已经走远了。望着哈珠的背影，巴特心中疑团重重。

巴特回到禅房，他用汉语问李大裤衩子："李大哥，这孩子几岁了？"

"回都统老爷，七岁。"

"叫什么名字？"

"叫哈森。"

巴特一愣："哈森？蒙古语是玉石的意思，这不是蒙古名吗？"

李大裤衩子媳妇答非所问："孩子叫李哈森。"

李是姓，哈森是名。这孩子汉姓蒙古名，巴特更纳闷了："李大哥，这孩子到底是不是哈珠的？"

李大裤衩子一副为难的样子："都统老爷，你，你还是问哈珠吧，她，她不让说。"

巴特有点急："你就不能告诉我吗？"

李大裤衩子看了看媳妇，媳妇看了看他，两个人都跪下了："都统老爷，我们，我们夫妻发过誓，对任何人也不能讲。不然，会遭老天爷报应的。"

巴特不再追问了。

杨树吐出了新叶，柳树长出了嫩芽，春天像燕子一样，在包头村每户汉民家的屋檐下安了窝。包头召院外有棵大榆树，上面结满了榆钱。小哈森和两个小伙伴来到树下，小哈森跟猴子似的，"噌噌噌"爬到树上。他揪着榆钱，吃着吃着嘴却不动了，眼睛一个劲儿地往包头召院里看。

树下的小伙伴叫道："哈森，给我掰榆钱呀。"

小哈森示意两个小伙伴不要说话，他痴痴地望着包头召院内。

两个小伙伴不知寺内发生了什么事，也都爬上了树。

原来是巴特在院里练武。巴特双拳生风，忽前忽后，忽左忽右；时而腾空而起，时而匍匐在地；时而电闪雷鸣，时而细雨微风……三个孩子从没见过这阵势，一个个都看呆了。

哈森情不自禁地拍起手来："真好！"

巴特收招，发现了树上的三个孩子。

巴特走到院外，他向树上的三个孩子招手："都下来，下来，别摔着。"

几个孩子跳下树，对巴特羡慕不已。

巴特已经二十六七岁了，在那个年代应该是三四个孩子的父亲，可时至今日，桐花的肚子还是瘪瘪的。看到这三个天真活泼的孩子，巴特十分高兴。

巴特问："你们喜欢练武吗?"

孩子们异口同声："喜欢。"

"那你们想不想学?"

"想。"

"我教你们好不好?"

"好!"

巴特拉开架式，一招一式地教三个孩子。

练武是件非常辛苦的事，刚练时三个孩子还觉得挺新鲜，可练了一会儿，那两个孩子就嫌累，只有小哈森在坚持。

巴特问："你还学吗?"

哈森很干脆："学。"

巴特拉着哈森的小手："你不怕累吗?"

哈森坚定地说："不怕。"

在蒙古人的风俗中，不熟悉的人是不能摸孩子头的。蒙古人认为生人摸了孩子的头会给孩子带来疾病和灾祸。

巴特轻轻地拍了拍小哈森的肩："好孩子，有出息，以后你天天来，我天天教你。"

哈森"扑通"就给巴特跪下了："师父!"

巴特的心一动，多么懂事的孩子："你叫我什么?"

哈森道："师父。你教我练武，就是我师父。"

一个念头在巴特脑海中闪出："不要叫我师父，换个称呼好不?"

哈森仰着小脸："那叫什么?"

巴特心跳加剧："叫我阿爸，你给我当干儿子。"

小哈森无限崇拜地给巴特磕了三个头："阿爸。"

巴特俯下身，把孩子搂在怀里，他贴着小哈森的脸喃喃道："儿子！我有儿子了！"

从此，巴特把哈森当成了亲骨肉，不但教哈森练武，还教他写蒙古文字母，读汉文《三字经》。

这天，巴特问哈森："儿子，你认识哈珠吗？"

哈森摇了摇头："哈珠是谁？"

"就是上次管你叫儿子的那个女人。"

"不认识。"

"她不是你额吉吗？"

"额吉？额吉就是亲娘吧？"

"对，额吉就是亲娘。"

"我有亲娘，我亲爹亲娘都住在包头村，阿爸不是去过吗？"

李大裤衩子两口子和哈珠是什么关系？哈珠和哈森是什么关系？哈森到底是李大裤衩子夫妻的儿子，还是哈珠的儿子？巴特不得其解。

一进腊月，土默特蒙古人就开始准备过年吃的各种食物，如肉干、奶制品、馓子、炒米，等等。衣服也要做新的，巴家无论男女老少、主人仆人，每人都做一件蒙古袍。巴氏家族上下三十多口，一家裁缝做不过来，巴特就到萨拉齐请来八个裁缝，为巴家人量身定做。

巴特带着这些裁缝刚进家门，就听桐花在骂："哪个小兔崽子这么没教养，跑到人家窗下撒尿，这不是欺负人吗？啊？以前往我身上倒洗脚水，现在又往窗下撒尿，过几天是不是还要骑在我们脖子上拉屎？怪不得我们家这么倒霉，官也丢了，职也没有，到了手的世袭都统也飞了。这日子还能过吗？"

巴特拉桐花的衣襟："行了行了，童子尿还治病呢，进屋吧。"

桐花甩开巴特的手："别碰我！治病你咋不舔了呢？哎，我正要问你，这家成什么了？你想来就来，想走就走，留下我一个独守空房，谁想欺负谁就欺负。"

巴特一脸无奈："谁又欺负你了?"

桐花大叫："你眼睛瞎了? 窗下猫尿狗臊的你没看见?"

巴特声音比桐花低得多："我眼睛瞎了,行了吧,快进屋吧。"

巴特还要拉桐花,桐花两手叉腰："我不进! 我问你,你天天不着家,又和哪个妖精混上了?"

巴特斥道："你说点有影的!"

桐雪从西厢房出来,她袖子挽着,小臂上还有水珠,看样子是在洗什么。

桐雪劝桐花："小姐,姑老爷是正人君子,不是拈花惹草的人,他不是请裁缝去了吗? 你先到屋里歇着,一会儿裁缝还要给小姐做新衣服呢。"

桐雪把桐花劝进了屋。上房的太夫人脸色苍白,她默默地抽着烟,哈珠一旁侍立。

转眼间到了腊月二十三。蒙古人也有祭灶的风俗。晚上,巴氏族人除了没出嫁的姑娘,全家人都来到厨房祭灶。仆人在筛子里放些草料、羊肉干、干果和麻糖,一家人跪在灶前。

太夫人端起筛子,一边筛着,一边叨念："霍来! 霍来! 将石蒙更,也勒也勒,宝音克西格日……"

意思是说:金钱、福禄,都降临我家。

筛过之后,太夫人把奶酒泼进灶里,再把筛子里的祭品、草料也都填入其中,然后点火烧掉。

桐花本不想凑这热闹,可又一想,老太太这是祈求金钱、福禄,这金钱、福禄不能都让别人占了,我也得有份,因此,她挤在最前面。

祭完灶,巴家人各回各屋。桐花在西厢房等了一会儿,却不见巴特回来。

桐花吩咐桐雪："你去看看,他又死到哪儿去了?"

桐雪道："小姐,姑老爷在陪太夫人说话呢。"

桐花眼睛转了转,对桐雪说："走,一起看看。"

桐雪道："小姐,天这么冷,还是不去吧?"

桐花不阴不阳地说："我已经大半年没给老太太请安了,过去请个安。"

上房之中，巴特给太夫人捶着腿，哈珠给太夫人捏着肩，老人絮絮叨叨："奶奶是奔七十岁的人了，就像一匹老马，没几年活头了。你们这辈兄弟八个，奶奶八个孙子，三个献给了佛祖，还剩你们五个。可那几股都有了儿子，就你和桐花没有。你和桐花结婚八年了，到现在也没怀上，奶奶这心跟着了火似的。听包头村的山西人说，他们家乡不生孩子的就抱养一个，说什么叫'带子'，有了'带子'就能带来儿子。"

巴特看了一眼哈珠，他安慰太夫人："奶奶，'带子'是山西的风俗，我们草原上不兴这个。你身体这么硬朗，再活二十年没问题，我肯定能给你老人家生个重孙子。"

太夫人板起脸："不看喇嘛，又不找'带子'，你怎么给奶奶生重孙子……"

老太太发现巴特看哈珠的眼神异样，老人仿佛明白了什么，便道："莫不是，莫不是你要给奶奶娶个侧室……"

"嗯哼!"窗外传来桐花重重的一声咳嗽。

太夫人立刻不说话了，她和哈珠不约而同地看巴特，巴特起身来到外面。

桐花用手点着巴特的鼻子："好啊，你背着我要纳小?"

巴特忙解释："没有，没有，真的没有。"

桐雪也说："小姐，你听错了，姑老爷不是纳小，是要找个'带子'。走吧，外面这么冷，回屋吧，小心冻坏身子。"

桐雪总算把这件事遮掩过去了。

除夕一早，哈珠给太夫人装了一袋烟。太夫人抽了几口，哈珠却跪在太夫人面前，说有个亲戚到了包头村，她要去看看。太夫人爽快地答应了，并一再叮嘱哈珠把亲戚带到家里一起过年。太夫人这么一说，哈珠倒是拿不定主意了，不知该不该去。

在太夫人的一再催促下，哈珠只得穿好衣服。太夫人又问哈珠，那个亲戚会不会骑马，哈珠犹豫再三才说："不会。"

太夫人以为哈珠客气，就想派人赶车去接那个亲戚。可今天是年三十，巴家的仆人全部放假，这就需要主人赶车。太夫人喜欢哈珠，老人发觉哈珠和巴特关系微妙，太夫人就想让巴特赶车，但老人又忌惮桐花。正巧桐雪来上房拿红蜡烛。

桐雪笑盈盈地说："就让姑老爷赶车吧，小姐那里有我呢。"

桐雪和桐花迥然不同，桐花从不把巴家人放在眼里，可桐雪对主子恭敬，与仆人处得也很好。尤其是在桐花发泼的时候，只有桐雪能劝她。因此，巴家上下对桐雪的印象都不错。有些事不敢直接跟桐花说，只能通过桐雪从中周旋。

既然桐雪这么说，太夫人也就答应了。

巴特套上马车，哈珠心事重重地上了车。车走在沙尔沁街上，前面来个卖糖葫芦的。

哈珠道："都统少爷，停一下。"

哈珠下了车，她买了几串糖葫芦，巴特拿出一块碎银子付给那个卖糖葫芦的。

哈珠连忙阻拦："都统少爷，使不得，使不得。"

哈珠从卖糖葫芦的手中夺回巴特的银子还给巴特，她把自己的几文铜钱塞给卖糖葫芦的。

又走了没多远，前面来个卖冻柿子的。哈珠又叫巴特停车，哈珠买了一篮子柿子，巴特又要付银子，哈珠坚决不答应。

巴特道："哈珠，我们是一家人，你这也太见外了吧？"

哈珠神情木然，并不答话。

刚买了柿子，又来个卖干果的。不等哈珠说话，巴特就停下车。巴特把核桃、红枣、葡萄干、花生、瓜子买了一大堆。哈珠想拦，巴特说自己想吃，哈珠无话可说。

马车行驶在路上，巴特搭讪着："哈森这孩子特别懂事，真是个好孩子。"

哈珠没搭腔。

巴特明知故问："不知哈森多大了？"

哈珠还是没说话。

巴特转过头，见哈珠眼中含泪，目光犀利，手持一把明晃晃、亮闪闪的匕首，正怒视着巴特。

巴特一惊："哈珠，你这是……"

哈珠眼睛连眨几下，她不想让眼泪掉下来，可眼泪还是落在胸前。她忙用另一只手抹了一把，手上的匕首也慢慢地放下了："我，我……看着这把刀，想起了自己的过去。"哈珠眼望北方，有些哽咽地解释，"我的眼睛一见风就流泪……"

巴特纳闷，刚才哈珠的匕首是对着我的，这是被我看见了，如果我没看见，她会刺向我吗？我跟她无仇无怨，而且我对她一直都有一种只可意会、不可言传的亲近感，她不可能看不出来？难道是因为桐花？桐花对她是刻薄，可对巴家哪个人不刻薄呢？

不对，哈珠知道我和桐花没有什么感情，她不会因为桐花而对我动刀。难道哈珠真是想到了她的过去？那她的过去是怎样的？那把刀又和哈珠的过去有什么关系？

巴特满腹疑惑，他默默赶着车，两个人谁也不说话了。

第十四章

桐花手举棍落，"啪啪""稀里哗啦"，上房窗棂断了，玻璃碎了。屋中传来太夫人撕心裂肺的一声痛哭……

车在李大裤衩子家门前停了下来。小哈森和两个孩子正在院子里放炮仗，三个孩子的衣服虽然是粗布缝制，但都是新的。

见巴特来了，哈森立刻跑了过来。哈森一蹦高，搂住巴特的脖子："阿爸!"

哈珠呆了。霎时，哈珠眼睛里闪出一道寒光，她的手悄悄地伸向怀里。哈珠摸出匕首，拔刀出鞘，她牙一咬，对准巴特的后心……

"都统老爷，哈珠妹子，快进屋暖和暖和。"

李大裤衩子两口子从屋中走了出来。李大裤衩子不像以前那样邋遢了，他上身是黑色的羊皮袄，下身是黑色的长裤，脚上穿着一双青色棉布鞋。衣着合体，没有一块补丁。媳妇腰间系着围裙，也是满面红光，穿戴整齐。

哈珠收刀入鞘，迅速把刀藏进怀中。

哈森放开巴特，跑过去开门。李大裤衩子接过巴特手中的干果，李大裤衩子媳妇接过哈珠手中的冻柿子和糖葫芦，另外两个孩子也跟着进了屋。

屋里左侧是灶台，灶台上的锅里煮着羊肉，肉香扑鼻。屋里的墙壁没有粉刷，墙上贴着年画和挂钱，窗上贴着红色的窗花。灶台和炕之间是一尺多高的隔墙，炕上铺着高粱篾编的新炕席，炕中间是个泥制的火盆，火盆里是木柴烧后产生的余火。火红红的，烤得屋里暖暖的。炕头睡着一个吃奶的孩子，炕梢是一摞被子，炕沿是一条长长的方木。

李大裤衩子媳妇忙用衣服袖子在炕沿上擦了两遍："我们这小门小户的，又脏又乱。都统老爷，哈珠妹子，你们坐，你们坐。"

巴特坐下，哈森领着两个孩子过来，巴特笑道："李大哥，你们几个孩子了？"

李大裤衩子伸出四个指头，自豪地说："回都统老爷，我四个儿子。大小子哈森九岁，二小子五岁，三小子三岁，炕上睡的那个是四小子，一岁。"

巴特羡慕不已："四个儿子，李大哥真是好福气呀！"

李大裤衩子连声说："好福气，好福气……"

李大裤衩子媳妇知道巴特没有孩子，她拉了一下丈夫的衣角，向巴特讪笑："啥福气，孩子多，闹得慌。"

李大裤衩子一捅媳妇，他对哈珠嘿嘿一笑："不闹，不闹，闹什么，她瞎说呢！"

李大裤衩子两口子一个说"孩子多，闹得慌"，一个说"不闹"，两个人不时挤眉弄眼，巴特虽有狐疑，却猜不透其中的秘密。

李大裤衩子媳妇有意岔过话题，她端过一个笸箩："都统老爷，哈珠妹子，来来来，嗑爪子，早晨刚炒的。我们可托了巴家的福，房子也有了，吃饭也不愁了……"

几个人客气一番，巴特把干果捧给哈森："儿子，你和两个弟弟一起吃。"

哈森给两个弟弟每人一把葡萄干，两个孩子吃得津津有味。

哈珠拿起糖葫芦，给二小子和三小子一人一串："先吃糖葫芦吧，一会儿就化了。"

清朝时的糖葫芦是用糖稀蘸的。糖稀是把甜菜或胡萝卜切成丁，添上水，放在锅里熬。熬到一定程度，把渣子捞出去，再熬锅里的甜水。当甜水被熬成胶状时，就成了糖稀。糖稀冬天凝固，天一热又还原成胶状。

哈珠给哈森拿过一串糖葫芦，哈森上下打量哈珠，巴特对哈森说："儿子，拿着吧。"

哈森接过糖葫芦问巴特："阿爸，我管她叫什么？"

巴特不知如何回答，他看着哈珠，哈珠身子颤抖起来，她笑着，但笑容异样，令人难以琢磨："叫，叫，叫额吉吧。"

哈森眨了眨眼："额吉？是干额吉吗？"

李大裤衩子媳妇嗔道："你这孩子，额吉就是额吉，还什么干的湿的？"

哈森问李大裤衩子媳妇："额吉是亲娘。你是我亲娘，她也是我亲娘，为什么我两个亲娘啊？"

巴特愣了，哈珠愣了，李大裤衩子媳妇也愣了。

李大裤衩子一摸哈森的头："你还小，等你长大就明白了。先叫额吉吧。"

哈森眼睛眨了眨，嗫嚅地向哈珠叫一声："额吉……"

哈珠的眼泪"刷"就下来了："孩子，你，你叫我什么？再叫一声。"

哈森转过脸看李大裤衩子媳妇，李大裤衩子媳妇向他点点头；哈森又看李大裤衩子，李大裤衩子也点点头。哈森这才向哈珠清脆地叫了一声："额吉。"

哈珠心花怒放，她长长地应了一声："哎——"

哈珠搂过哈森的头，贴着哈森的脸，泪水落在哈森的衣襟上。哈森莫名其妙，孩子虽小，可心中有数，哈珠额吉是和干爹巴特一起来的，自己要叫她"干额吉"，娘不让，叫她一声"额吉"，这个哈珠额吉就哭成这样。

哈森仰脸拉巴特的手："阿爸，额吉怎么了？"

巴特刚要说话，房门"咣当"一声就开了，桐花闯入，一股透骨的寒气迎面袭来。桐雪紧随其后，她拉着桐花："小姐，小姐……"

桐花对桐雪厉声道："到现在你还瞒我？放开！"

桐雪放开桐花。哈珠放开哈森。哈森放开巴特。

屋里的人都愣愣地看着桐花，见桐花头戴一顶洁白如雪的狐皮帽子，身着艳丽华贵的旗袍，脚上是一双三寸高的花盆底绣鞋，亭亭玉立，仪态万千。如果脸上含笑，肯定更加端庄、优雅、高贵。然而，桐花却是满面怒容，既如庙里的金刚，又似出海的夜叉，这身装扮在她身上便打了九分折扣。

巴特忙道："你怎么来了……"

桐花双眉倒竖，二目圆睁，她手指巴特："没良心的，你连儿子都有了!"

说着，桐花就抓向巴特的脸。

桐花脚上的花盆底鞋跟现在的高跟鞋差不多，穿着漂亮，但容易摔跤。巴特抬手一挡，桐花就站不住了，一屁股坐在地上。

桐花放声大哭："好啊，你跟狐狸精生下了野种，还打我。我这些年辛辛苦苦，伺候你们家老，伺候你们家小，没想到你，你早混了野女人，连孩子都这么大了，我可不活了……"

桐雪连哄带劝："小姐小姐，你是大家闺秀，有话好说，别这样。"

桐雪想扶桐花，桐花骂了一句："滚! 你也不是好东西!"

桐雪张了张嘴，没有出声。

李大裤衩子两口子搀也不是，不搀也不是；劝也不是，不劝也不是，夫妻二人手足无措。

哈珠郑重地说："三少奶奶，这孩子跟都统少爷一点关系都没有。哈珠是个下人，你可以污辱我，但不能污辱孩子……"

一听哈珠说话，桐花"噌"地站了起来："你个狐狸精，把孩子都生了，你还不承认。我打死你! 我打死你!"

桐花一手揪住哈珠的头发，一手打哈珠的耳光，哈珠的头"啪啪啪"左右摇摆。

巴特大喝一声："住手!"

桐花恶狠狠地说："我就不住手!"

巴特怒道："你发什么泼? 哈森是李家的孩子，跟哈珠没有关系，也跟我没关系。"

桐花冷笑："李家的孩子怎么管你叫阿爸？你怎么管他叫儿子？你骗鬼呢？你以为我不知道，你奶奶没事就把你叫到上房和这个狐狸精鬼混。"

"胡说八道！"巴特掰开桐花的手，哈珠挣脱出来。哈森在一旁拧眉瞪眼，二小子、三小子扑到李大裤衩子怀中，吓得直哭。

桐花气急败坏："桐雪，你还愣什么，给我打！"

桐雪仍劝："小姐，这大过年的，有什么话咱们回去说，回去说……"

桐花喘着粗气："不行！我是官宦家的小姐，正黄旗满洲，我怕过谁！他们不让我过好年，我也不让他们过好年。桐雪，你拿我的话当放屁吗？我让你打，你听见了吗？给我打，往死里打！"

桐雪推哈珠出去，想让她赶紧走，躲开桐花。巴特以为桐雪真要打哈珠，他"啪"的一声就是一记耳光，桐雪"噔噔噔"斜跨三步，"咣"撞在墙上。

桐雪很委屈："姑老爷……"

桐雪被打，桐花急了，她疯了似的扑向巴特。巴特一闪身，桐花摔在炕沿上，桐花往炕沿上一趴："你打死我吧，你打死我吧。"

巴特不再理她，桐花连哭带骂，桐雪在一边苦劝。

炕上的四小子被惊醒，孩子"哇哇"大哭。李大裤衩子媳妇抱起孩子，她哀求桐花："都统夫人，三少奶奶，都统老爷和哈珠妹子真的没那么回事，我对天发誓，真的……"

桐花"呼"地蹦到炕上，她双手叉腰："你们家也不是好东西！你们把人家的男人勾来和野女人上炕下野种，开窑子，今天我砸了你们的王八窝！"

桐花端起火盆，砸向窗户。李家的窗户是用树枝子撑起来的，上面糊着窗户纸，窗户框"咔嚓"一声就断了，火盆摔到窗外，裂成两半，盆中的余火在寒风中乱飞。

人穷志短，李大裤衩子夫妻干着急，不敢上前。巴特忍无可忍，他跳上炕一把揪住桐花的衣领，跟拎小鸡似的把桐花拖下炕，拖出门外："滚！"

桐花一个趔趄摔在地上，桐雪忙过去把她扶起来。再看桐花，狐皮帽子也掉了，身着艳丽华贵的旗袍也扯了，花盆底的鞋跟也没了。桐花又哭又号又骂。左邻右舍的人围了过来，看热闹的人越来越多，人们议论纷纷。

　　桐雪劝道："小姐，你不是山里的村姑，你是大家闺秀，这么多人看着，多让人家笑话，咱们先回家，先回家。"

　　桐花朝着围上来的人骂道："看什么看？有什么好看的？都滚！"

　　桐雪牵过马，捡回狐皮帽子给桐花戴上，又把她扶上马。桐花抹了一把眼泪，她在马上冲屋里的巴特叫道："你打我，我让你们全家都过不去这个年！"

　　桐雪也上了马，她和桐花飞驰而去。

　　巴特忙给李大裤衩子两口子赔情："李大哥、李大嫂，对不起，实在是对不起。"

　　李大裤衩子咧了咧嘴："没事，没事，都统老爷，大丈夫难免妻不贤，子不孝……"

　　李大裤衩子媳妇一掐他的胳膊："你瞎说什么呢？"

　　李大裤衩子也反应过来了："啊，是呀，没事，没事……"

　　哈珠面露紧张："都统少爷，三少奶奶回去，太夫人年龄那么大，可不能生气呀！"

　　一句话提醒了巴特，桐花两次把奶奶气昏，她什么事都能做出来，奶奶偌大年纪，可经不起桐花折腾。

　　巴特要走，哈珠也要回去。李大裤衩子媳妇道："哈珠妹子，三少奶奶对你误解这么深，你要是回去，那，那她能完吗？"

　　李大裤衩子也说："是啊，哈珠妹子，你就不要回去了。"

　　哈珠坚定地说："不！我必须回去。我和都统少爷是清白的，我不回去就更说不清了。"

　　哈森一直在看着，他实在忍不住了，哈森问巴特："阿爸，这到底是怎么回事？"

　　巴特摇了摇头。

哈森又问李大裤衩子："爹，你能告诉我吗?"

李大裤衩子也摇头。

哈森又转向李大裤衩子媳妇："娘，你告诉我行吗?"

李大裤衩子媳妇张了张嘴，目光转向哈珠。

哈森又到哈珠面前："你真是我额吉吗?"

哈珠被打一滴泪也没掉，可听哈森这么一问，她泪如泉涌，哽咽难言。

李大裤衩子拉过哈森："孩子，不要问了，等你长大就知道了。"

巴特从怀里掏出一把碎银子放在炕上，他对李大裤衩子两口子说："天这么冷，你们赶紧买几张窗户纸，把窗户糊上，别冻着孩子。再有，把外面的火收拾好，千万别失火。"

李大裤衩子两口子想推辞，可巴特已经出了房门。

桐花一回到沙尔沁就撞开了太夫人的房门，她往地上一坐，哭天抢地："老天爷呀，我可不活了，这是什么人家，老的指使少的搞破鞋，少的拈花惹草，孩子居然都那么大了。我说他两句，他张口就骂，举手就打。这么多年，我给你们家当牛做马，照顾老的，伺候小的，哪点对不起你们家? 你们老的老的骂，少的少的打。阿玛呀，你成了当朝一品，却把女儿推进火坑，你女儿受了这么大委屈你为什么不管……"

无论桐雪怎么劝，桐花就是哭闹不起来。

"当当当"太夫人烟袋敲击铜盂："到底出什么事了?"

桐花哭骂："你天天叫那个挨千刀的和那个狐狸精在一起，孩子都八九岁了，还瞒着我，我可不活了……"

桐花一回来，巴家各房的媳妇和孩子就躲进了屋，一双双惊恐的眼睛透过一块块玻璃向上房张望。巴拉和两个弟弟正在堆木柴，准备夜里点旺火，听到桐花的哭闹声，他忙把锡兰叫了出来："你快去，把老三媳妇劝回西厢房。"

锡兰进了上房，她要搀桐花："三少奶奶，别哭了，天这么冷，可不能坐在地上，一旦着凉出点毛病，那不是自己遭罪吗? 快回房吧。"

桐花胳膊一甩："少跟我装好人! 别以为我不知道，天天让兔崽子往我们窗户下尿尿，怨不得我这么晦气，都是兔崽子尿熏的。我着凉才好，冻死才好，我死好给人家腾地方……哼！想让我死，没门儿！我就是死也抓几个垫背的！"

锡兰越劝桐花越骂，她只得安慰太夫人。

桐雪劝桐花："小姐，不要这样，这多丢人哪。"

"他们搞破鞋都不怕丢人，我丢什么人？"

"你是千金小姐，不是山野村姑，这传出去，咱家老爷的脸往哪儿放啊？"

一听这话，桐花哭得更来劲儿了："我还算什么千金小姐，当了这么多年王八婆都不知道。他们欺负我家在满洲，身边没有亲人，就往死里踩我。新媳妇过门谁家不给压岁钱？就他们家，给两只破镯子还断了好几节。这我都不说，还往我身上泼洗脚水。一盆洗脚水，把世袭都统泼没了。这我都忍了，可我越忍，人家越踩我，居然让那个挨千刀的和哈珠那个狐狸精生了孩子。怨不得这家人男的死在战场，女的守寡，这都是损的，老天爷长眼哪！"

桐花指桑骂槐，句句都跟刀子一样扎在太夫人的心上，锡兰拉着太夫人的手不停地劝："奶奶，你消消气，别跟她一般见识。"

太夫人浑身哆嗦，脸色煞白。

桐花正骂着，巴特和哈珠一前一后走了进来。

桐花"噌"地站了起来："好啊，两个狗男女，你们居然成双成对，我跟你拼了！"

桐花直扑哈珠，巴特双臂一横挡在哈珠面前。桐花"啪啪"就挠了巴特两把，巴特脸上立刻出现几条血痕。巴特拽着桐花的衣领，把她拖进西厢门，桐雪随着进了西厢房。

巴特回上房去安慰奶奶。

桐花在屋中哭骂："我一没做贼，二没养汉搞破鞋，他见面就打我，我不活了，我就死在他们家，就拿他们家当坟丘子！"

桐花"噌"地站起身，她撞开门来到院中。桐雪追出去拉桐花，桐花朝桐雪吼："你总拉我干啥？我被他们打成这样，你还不伸手？你跟他们打，跟他们骂。我阿玛是朝中的一品大员，我是官宦家的小姐，正黄旗满洲，你怕什么……"

桐雪胸脯起伏，脸色铁青，一个劲儿地劝。

桐花根本不听，她一转头，看见了院中架起的木柴。她过去抄起一根木棍，几步蹿到上房窗前。桐雪忙跑过去想拦，可还是晚了，桐花手举棍落，"啪啪""稀里哗啦"，上房窗棂断了，玻璃碎了。

屋中传来太夫人撕心裂肺的一声痛哭："长生天啊……"

太夫人身子一软，昏了过去。

第十五章

·

太夫人眼睛在巴特和哈珠两人脸上来回移动着。哈珠见太夫人眼神异样，忙拿起老人的大烟袋，为太夫人装烟，以掩饰心中的紧张。

巴拉跑进上房，锡兰、巴特、哈珠已经把太夫人扶了起来，几个人又是抚前胸，又是捶后背，又是掐人中穴。

窗外的桐花置若罔闻："又跟我装死，吓唬谁呀？我不怕！姑奶奶是正黄旗满洲，朝廷一品大员的千金小姐！"

巴特气得脸都紫了，他推开房门直奔桐花。

巴拉一把拽住巴特："老三，你要干什么？"

巴特怒不可遏："我非打死她不可！"

巴拉斥道："你还嫌事小吗？"

巴特咬着牙："大哥，这泼妇把奶奶气成什么样了？你就让我眼睁睁地看着吗？"

太夫人醒了过来，老人嘴唇颤抖着："叫巴特，叫巴特过来！"

哈珠叫回巴特，巴特"扑通"跪在地上，眼泪掉了下来："奶奶，孙儿不孝，孙儿不孝啊……"

太夫人语气沉重，表情凄婉："分家，分家吧，你们出去过。"

古代的名门望族都是四代五代人在一起过，辈分越多，越显得家族兴旺。不到万不得已，是绝对不能分家的。蒙古人也是如此。

巴特一时不知如何是好，巴拉撩衣跪在太夫人面前："奶奶，这大过年分家，不合适吧？"

太夫人脸上抽搐着："早晚要分，分吧。"

外面的桐花两手叉腰："分家？分家吓唬谁呀！分就分，我早就在这穷山沟里待腻了，给我在归化城买套宅子，我现在就走。"

太夫人对锡兰说："给她一百两银子，让他们走。"

桐花喊叫："一百两？打发要饭的还差不多，我虽不是金枝玉叶，可也是正黄旗满洲，当朝一品大员的千金小姐，没有五百两银子，我就把这院子当坟丘子！"

五百两银子，那是巴拉几年的年俸！太夫人狠了狠心："锡兰哪，要多少给多少。"

锡兰直皱眉："奶奶，家里只有三百多两。"

太夫人痛苦难当："给她，都给她。"

桐花仍不罢休："少一文我就作，我就闹，我就在这儿寻死上吊！"

太夫人眼泪直往下滚，她对巴拉说："巴拉，从你的衙门给奶奶支出二百两，就算是奶奶借你的。"

锡兰凑了五百两银子给了桐花，桐花心满意足："桐雪，还在这杵着干什么？带上东西，咱们到归化城住客栈去。"

大年三十，桐花走了。她身后的桐雪一步一回头，似有千言万语，但一句话也说不出来，只有泪水无声地流着。

寒风从窗外刮来，破碎的窗户纸发出"呜呜"的声响。哈珠怕太夫人冻着，她把太夫人扶到自己住的房间。锡兰舀了半碗白面，准备打糨子为太夫人糊窗户，巴拉叫人把太夫人房间断裂的窗棂拆下，巴特默默地打扫窗下的玻璃碴子。

屋中只有哈珠和太夫人。哈珠给老人装了一袋烟，点上火，太夫人抽了两口。

冰窗花爬上了玻璃，窗外茫茫一片，什么也看不清楚。

太夫人低声问："哈珠啊，你说实话，你们在外面真有孩子了？"

哈珠一下子紧张起来："你，你们？你们是谁……"

太夫人吐了口烟："当然是你和巴特。"

哈珠"扑通"跪在太夫人面前："太夫人，我和都统少爷的关系像雪一样洁白，从没有任何不轨的事！"

太夫人和蔼可亲："起来，起来说话。我是想，你们要是真有了孩子，就把孩子接回来，不能让孩子流落在外面受罪。"

哈珠哪敢起来，她连连磕头："太夫人，三少奶奶无中生有……绝无此事，绝无此事啊！"

太夫人沉默一下："那孩子是怎么回事？"

哈珠道："那孩子，那孩子是哈珠和前夫生的。"

太夫人良久无言，过了一会儿才说："不管是你和谁生的，都是你的孩子，你也算是巴家的人，把孩子接来吧。"

哈珠连连摇头："不用不用，真的不用，太夫人。"

虽然桐花三次把太夫人气昏，但在老人心中，桐花毕竟是巴家的媳妇，这大过年的，桐花和桐雪到归化城不可能马上买上房子，买不上房子在哪里安身？店铺客栈能开门吗？如果不开门，她们住哪儿？太夫人让巴特跟桐花一起走，巴特说桐花一定会去建威将军衙署，有申慕德将军关照，桐花冻不着，也饿不着。巴特跪在地上，只求在家中过个年，不要赶他走。

老人转念一想，也不能过分逼巴特，如果两个人到一起再吵起来，都是年轻人，血气方刚，万一发生不测，后果不堪设想。巴拉也劝太夫人，等桐花和巴特的气消了，再让巴特去找桐花。可太夫人还是不放心，她叫巴拉派两个仆人跟着桐花和桐雪。

这个春天来得较晚，走西口到包头村的晋陕汉人更多了，包头村的人口猛增到一千多户。汉人大量租用巴家牧场，双方互惠互利，博托河两岸，到处都是人们耕种的身影。

在申慕德的劝说下，桐花总算和巴特言归于好，巴特和桐花用一百两银子在城中买了一所宅子。

虽然有了自己的小家，可桐花整天泡酒楼，逛首饰店，进绸缎庄，她带着桐雪，两个人常常天黑才回来。巴特的日子枯燥，却很充实。桐花不在家，他一个人清静，可以读书，可以练武；可以想自己的明天，可以想自己的过去，没人干扰。巴特对自己的前途仍抱有希望，天生我材必有用。凭自己的一身武艺，早晚有一天东山再起。然而，巴特心中的阴影总是不期而至——科布多自己背后的那支箭，宝丰山采伐木材的公文，直到今天，巴特也没找到答案。

坐吃山空。仅仅半年，桐花手中的银子就所剩无几了。腰里没钱，桐花出门也少了，她瞅着巴特舞刀弄枪、读书写字，十分反感："哎哎哎，你瞧瞧你，挺大个男人，一天到晚躲在家里不出去，水来张手，饭来张口，一文钱不进，这日子还能不能过？你看那些买卖铺户，日进斗金，钱跟水一样，花都花不完。你倒好，一个子儿也拿不回来，整天在家里死吃死嚼，难道让我一个女人养你不成？"

巴特并不作声，他放下刀枪，擦了两把汗，转身向院外走去。

桐花随后跟了出来："我可告诉你，你要敢回沙尔沁找那个狐狸精，我就让你当王八！"

巴特没有理桐花，心想，我是该找个差事了，让更多的人了解自己，知道自己，不然被人遗忘，那就永无出头之日了。

街上，一队官兵走来，前面有两个军卒鸣锣开道，后面高举"回避"牌子，中间有人骑着高头大马。此人头戴红缨帽，帽上是红珊瑚顶珠，前后胸是雄狮补子。上身着深蓝色蟒袍，下衬江牙海水，脚上穿着一双崭新的朝靴。

这是二品武官服饰，巴特当初就是这身装扮。再看马上这位，巴特愣了，这不是马尔滚吗？当年巴特当副都统时，马尔滚还是个从三品参领。几年过去了，人家升到正二品，自己却沦落为一介草民，巴特心里很不是滋味，他忙低下了头。

马尔滚也是土默特右旗蒙古人，他刚刚升任土默特右旗副都统。马尔滚跳下马，来到巴特面前，他以手抚胸："这不是巴都统吗？"

巴特只得还礼："草民巴特见过马大人。"

“别别别，巴大人是在下的老上司，可千万不能这样。大人这是去哪儿呀？”

“没事闲逛……”

“听说巴大人不坠青云之志，每天在家中习文练武，有朝一日，大人一定会像雄鹰一样鹏程万里。”

巴特淡然一笑：“只是消磨时间而已。”

“大人没想找个差事？”

“这，巴特虽有此意，可，可不太好找啊。”

马尔滚脸上立刻绽出笑容：“实不相瞒，我正想找一位武师爷。巴大人马术高超，箭法出神入化，不知大人能否帮帮我？”

马尔滚语气中肯，巴特的心一动：“这，这……”

马尔滚见巴特有些迟疑，忙说：“马某原是大人的部下，绝不会亏待老上司，要是巴大人能够屈就，马某每年愿付俸银二百两。”

当时正二品官的年俸是一百五十两，如果官员考核没有贪污腐败问题，朝廷还给一百八十两养廉银。养廉银是清朝的特有制度，始于1723年（雍正元年）。顾名思义，养廉银就是用于高薪养廉的钱。清廷开始实行养廉银时，其数量和官员的年俸差不多，养廉银也确实起到了养廉作用。但人心不足蛇吞象，养廉银是有限的，官员膨胀的私欲是无限的。于是，清廷跨越式增加养廉银。到了光绪年间，养廉银根据当地财力情况，已经涨到了年俸的十几倍甚至百倍。所以，社会各阶层都对当官趋之若鹜。

土默特左右两旗除了世袭官员之外，官无俸，兵无饷，但因为有土地出租，收入不比中原同职级的汉官少。

明清之际，金银虽然也作为货币流通，但老百姓之间最常用的还是铜钱。铜钱就是我们平时所说的大钱。一个大钱是一文，一千个大钱是一贯。一般情况下，一贯相当于一两银子，十两银子相当于一两金子。当时，一个农民辛辛苦苦耕作一年，也就能收入一贯钱，马尔滚一张口就给巴特二百两银子，这大大出乎巴特的意料。

巴特客气道：“只怕巴特不能胜任，耽误马大人的大事。”

“这么说巴大人是答应了？”

"恭敬不如从命。"

"太好了！我现在要去祭敖包，咱们一起去如何？"

"也好。"

马尔滚叫人给巴特牵过一匹马，两个人一边叙旧，一边向城门走去。

敖包也称脑包或鄂博，一般来说，敖包位于山岭或大路旁。敖包就是石头堆。关于敖包的由来草原上有很多传说，但主要有两种，一种与成吉思汗有关。成吉思汗名叫铁木真。13世纪之初，铁木真开始了统一草原的战争。每征服一个部落，铁木真就让军兵堆一堆石块，在石头堆中间插上旗帜。这些石头不但起到宣示领地的作用，还可作为行军指示方向。

另一种说法与祭祀有关。喇嘛教传到草原后，蒙古民族多采用野葬，也叫天葬。蒙古人去世后，用毡或布将尸体包裹起来，按照喇嘛指引的方向，用牛车拉着尸体，并带上母骆驼和骆驼羔子在草原上奔跑，尸体颠落的地方就被认为是上天安排的墓地。在这里割破骆驼羔子的腿，使骆驼羔子的血滴在该处，人和骆驼方才离去，尸体任飞禽走兽啄食。一周年后，逝者的亲人带上母骆驼和那只骆驼羔子。两只骆驼闻到去年残留的血腥味时哀鸣不前，逝者的亲人就在这里放些石头做标记，每年祭祀。

随着时代变迁，敖包被赋予了神的内涵。蒙古人得病、祈福、禳灾都要祭敖包，蒙古人外出旅行经过敖包时，也要下马向敖包跪拜，然后捡几块小石头，围着敖包顺时针转三圈，一边转，一边把手中的石块抛到敖包上。

到了清朝，敖包分为官、私、公三种，官敖包设在两个行政单位的交界处，相当于旗与旗之间的界碑，每年由王爷、都统或其他官员主持祭祀，实际就是巡视边界。私敖包是某个家族垒的敖包，草原上缺医少药，人们得病，往往向敖包祈祷。公敖包则是一个部落公祭的敖包，祭祀时，你家拿供品，我家拿香炉，他家拎奶酒，由长者主持，祭完之后，不分老幼，人们席地而坐，共食祭品。不过，现在的敖包已经没有明确的分类了，祭敖包也变成了一种文化活动。

马尔滚祭的敖包是官敖包。巴特随马尔滚出归化城祭敖包回来，马尔滚又在衙门里摆了一桌酒席。巴特与马尔滚边喝边聊，直到天黑，巴特方才离去。

巴特回到自己的宅子，一进屋，桐花就骂："这一整天你死到哪儿去了？我到处托人给你找差事，人家都答应了，你却连个鬼影也没有。"

巴特看也不看桐花："我在家，你说我死吃死嚼，我出去找事干；你又嫌我不回来，你到底要让我怎样？"

桐花一脸不屑："你能找什么差事？"

巴特一边脱外衣一边说："到土默特右旗衙门，给马尔滚当武师爷。"

桐雪上前接过巴特的外衣，挂在墙上。

桐花嘴一撇："啧啧啧，瞧你那点出息，以前你是他上司，现在却成了人家下属，你脸皮可真够厚的。我在大盛兴商号给你谋了个镖头，你给押个镖、送个货什么的，人家一年给八十两银子，还管吃管住。你不是愿意舞刀弄枪的吗？明天就过去，省得在家里干待着，我看着就烦。"

巴特喝得有点多，他往炕上一躺，睡意袭上心头。

桐花使劲儿拨楞巴特的头："你说话呀，到底去不去？"

巴特不理睬。

桐雪对桐花道："小姐，姑老爷喝多了，明天再说吧。"

桐花白了桐雪一眼："什么明天再说？明天就晚了。"桐花又推巴特，"哎，你到底去不去？"

巴特生硬地说："不去！"

桐花大叫："你不去让我喝西北风啊？娶了媳妇，养不起，你算什么男人？"桐花拿起笤帚要打巴特，桐雪连忙阻拦："小姐，姑老爷愿意在马尔滚大人那里干就让他去吧。"

桐花朝桐雪吼道："马尔滚能给几两银子？人家大盛兴可是给八十两！"

巴特眼睛睁开了："马大人给我二百两。"

桐花以为巴特说的是气话："马尔滚给你多少？"

巴特又说了一遍，桐花这回相信了，她眉开眼笑："死鬼，这么好的差事，你怎么不早说呢……"

从此，巴特每天为马尔滚操练人马，传授军兵骑马射箭。

大清《蒙古律》规定，土默特左右两旗三年比丁一次。丁就是成年男子，比丁就是将十八至六十岁的男子作为国家的后备兵源记录造册，组织日常训练。如果有战争发生，这些人就可及时拉到战场冲锋陷阵。当然，喇嘛不在其列。

沙尔沁章盖衙门隶属于土默特右旗第六甲，马尔滚让巴特到六甲巡视，顺路回家看看。这也是对巴特的关照。

巴特把几个章盖衙门都巡视一遍，最后回到沙尔沁。

巴特来到上房，他把在归化城买的好吃的一一摆在桌上，然后跪下给太夫人问安："孙儿给奶奶磕头。"

太夫人手捻佛珠，热泪盈眶："快起来，快起来。"

太夫人担心巴特和桐花吵架，老人不敢直说，只能绕着弯问。巴特却绕着弯答，他说自己如何遇见马尔滚，如何被马尔滚请去，如何为马尔滚操练军兵，以及马尔滚给他多少银子，等等，就是不提桐花。

哈珠给巴特倒了一碗奶茶，巴特接了过来。太夫人眼睛在巴特和哈珠两人脸上来回移动着。哈珠见太夫人眼神异样，忙拿起老人的大烟袋，为太夫人装烟，以掩饰心中的紧张。

太夫人抽了口烟问："巴特呀，你在外面有个儿子了？"

哈珠眉头一动。

巴特忙解释说："奶奶，孙儿认了个义子。"

太夫人深深吐了一口烟，意味深长地说："义子也是儿子，也算咱巴家人。你去把这孩子给奶奶接回来，让奶奶看看这个曾孙子。"

闻听此言，哈珠手足无措。

第十六章

　　就是科布多使自己从一个无名的骁骑校晋升为参领，又从参领晋升为副都统。可是，背后射来一支冷箭，我到鬼门关走了一遭……科布多呀科布多，你是我的福地，还是我的凶地？

　　自从分家以来，巴特没回过沙尔沁，当然，也没见过哈森。他非常想哈森，尤其关心孩子的武艺和功课。对于哈森，巴特反复分析过，他极有可能是哈珠的骨肉，可是，哈珠为什么把自己的亲生子寄养在李家？她跟李家有什么约定？孩子的父亲是谁？这都是哈珠的秘密，不征得哈珠的同意，怎么能把人家的孩子接来呢？

　　巴特的目光转向哈珠，太夫人见巴特用眼睛询问哈珠，哈珠却不看巴特，太夫人又问哈珠说："哈珠啊，你看把孩子接来行不？"

　　哈珠为太夫人装烟的手微微发颤："这，都统少爷是孩子的义父，又是孩子的师父，都统少爷做主吧……"

　　哈珠的烟装好了，太夫人把烟袋接过来叼在嘴上，哈珠拿起火镰火绳，可划了七八下，也没划着火。太夫人不动声色，她仍在巴特和哈珠脸上搜索着。火绳终于燃了起来，太夫人的大烟袋接触到火苗，火苗一上一下，一起一伏，老人抽了起来，屋里的青烟如丝如缕，相互缠绕。

　　第二天，巴特骑上马来到李大裤衩子家。一进屋，见李大裤衩子媳妇在灶上烧水，李大裤衩子站在一口大缸里。他脚下垫着一个麻袋片，麻袋片下是用热水焯过的白菜，李大裤衩子正在用力往下踩。

巴特道："李大哥，李大嫂，这是腌酸菜呢？"

李大裤衩子从缸里跳了出来："啊，腌两缸酸菜，冬天没啥吃的，多腌点。"

李大裤衩子媳妇也放下手中的活计："都统老爷，屋里坐，屋里坐。"

巴特往里屋看了看，只有李家的二小子、三小子和四小子，不见哈森，便问："哈森不在家？"

自从巴特去了归化城，哈森就跟丢了魂似的，整天往包头召跑，向道尔吉喇嘛追问巴特什么时候回来。道尔吉喇嘛也很喜欢这孩子，他开始教哈森读书练武。

巴特觉得，要接哈森去沙尔沁，也应该跟李家夫妻说一声，李大裤衩子两口子爽快地答应了。

出了李家，巴特来到包头召庙门前。庙门虚掩着，巴特往里一看，见哈森正在练武，道尔吉喇嘛一旁指导。巴特立在门外，他屏住呼吸，定睛观瞧，见小哈森十分认真，一招一式都很到位。

巴特正看得入神，一匹快马急驰而来，马上之人来到巴特面前跳下坐骑："巴师爷，科布多战事又起，朝廷征调土默特左右两旗军兵赶赴前敌，马都统请你立刻回衙门。"

来者是土默特右旗副都统衙门的差人，巴特又惊又喜又兴奋，我又可以大显身手、建功立业了。

巴特对差人道："你先回去禀报马大人，我收拾一下就回去。"

"是！"军兵跳上马，飞驰而去。

听到庙外有人说话，道尔吉喇嘛走了出来："老三，你什么时候来的？快，到庙里歇歇脚。"

巴特脸色严峻："不用了，二哥，科布多又打起来了，军情紧急，我要马上回归化城。"

小哈森跑了出来："阿爸，你怎么回来的？都想死我了。"

巴特心里酸溜溜的，他俯下身，搂过哈森："儿子，阿爸也想你……

你老奶奶也想你，哈珠——你额吉也想你，他们都在沙尔沁等你呢。"

汉人通常把父亲的奶奶称为太奶。土默特蒙古人与汉人不同，他们把父亲的奶奶称为老奶奶，把爷爷的奶奶称为老老奶奶。

小哈森眨了眨眼睛："我爹和娘知道吗？"

巴特道："阿爸都跟你爹娘说了。"

小哈森点了点头："嗯，我听阿爸的。"

巴特对道尔吉喇嘛说："二哥，你替我在祖先和佛前上几炷香，我得马上走。"

巴特和小哈森一马双跨，很快回到沙尔沁。巴特把小哈森带到上房，小哈森跪在太夫人脚下磕头，太夫人乐得嘴都合不上了。老人把孩子搂到怀中，左瞧瞧，右看看，口中喃喃道："像，像巴特小时候的模样，越看越像。"

太夫人的弦外之音巴特和哈珠都明白，巴特不知如何解释，哈珠更是心慌神乱。她想拥抱孩子，可手伸了几次都缩了回去。

哈珠的举动哪里逃得过太夫人的眼睛："哈珠，你过来。"

哈珠到太夫人面前："太夫人……"

太夫人对小哈森说："孩子，给你额吉磕个头。"

小哈森看了看哈珠，又回头看巴特："阿爸，她真是我额吉吗？"

巴特点点头："是，她是你额吉。"

哈森疑惑道："阿爸，我不是李家人吗？"

巴特不敢看哈珠，他犹豫一下说："李家？李家应该是你的养父养母吧？"

小哈森睫毛扇动着："她是我额吉，那我亲生阿爸是谁？"

巴特愣了，哈珠愣了，太夫人却笑了："这孩子真聪明。哈珠啊，你是不是应该告诉孩子啊？"

哈珠不禁倒退两步："我，我，我不是他额吉，我，我不知他阿爸是谁。"

太夫人和巴特都呆了，屋里一下子静了下来。太夫人如坠雾中，哈珠明明承认她是哈森的生母，现在又说不是。我也问过哈森的生父，哈珠说哈森的父亲死了。现在当着哈森的面，当着巴特的面，她居然又说自己不是哈森的额吉。平时我就看着巴特和哈珠两个人眼神不对，是情，是怨，是恨，说不清楚。如果巴特真是孩子的生父，那哈珠对巴特的怨气就太大了。如果巴特不是哈森的生父，那哈森的生父是谁？哈珠为什么不肯说？这里有什么不为人知的秘密？难道哈珠是顾及桐花？哈珠是个明白事理的女人，她是不是怕桐花知道了，再回来闹？

就在这时，巴拉兴冲冲地走了进来："奶奶，老三，大喜啦！"

几个人的视线转向巴拉，巴拉道："圣旨到了，老三官复原职啦！我就说嘛，三弟毕竟是通大人的女婿，通大人不可能看着老三当平头百姓，你看，果不其然。"

巴特暗想，刚才在庙上，马尔滚差人叫自己马上回衙门。这么一会儿的工夫，钦差大人就到了，看来，科布多战事一定打得很激烈。

太夫人立刻睁大眼睛："这是真的！钦差在哪儿？"

巴拉道："奶奶，钦差已经到了章盖衙门，正等着巴特接旨呢！"

太夫人问："原职是什么原职？是正都统还是副都统？"

巴拉笑容收敛一些："是副都统，不过，这也是皇恩浩荡了。"

太夫人似乎明白过来了："是不是又要打仗了？"

巴拉脸上的笑容不见了："这，奶奶……"

太夫人似乎在安慰巴特："去吧，去吧，奶奶不拦你。国家有难，好男儿应当挺身而出，杀敌报国，建功立业，你去吧。"

巴特心中激动："孙儿定不负奶奶的希望！"

然而，哈珠的眉毛却动了几动，眼睛如匕首一样寒光四射。

章盖衙门的大堂之中，巴拉、巴特跪倒在地，钦差手捧圣旨高声宣读："奉天承运，皇帝诏曰：噶尔丹策零背叛朝廷，祸乱西陲，致科布多边民生灵涂炭。巴特知兵事，晓地理，治军有方。着恢复土默特右旗副都统之职，速到傅尔丹将军帐下听令。钦此。"

刚才还是个平头百姓，不到一袋烟的工夫，自己又变成了二品武将。巴特如同做梦一般，他咬了咬舌头，还真疼。

巴特叩头："臣领旨谢恩！"

如今，噶尔丹策零成了准噶尔汗国的最高统治者。准噶尔地区古称西域，明朝时称瓦剌，也叫厄鲁特或卫剌特。瓦剌的情况十分复杂，有明以来其内部争斗不断。清朝建国之后，准噶尔之名取代瓦剌，可是，这里仍是热点。从15世纪初到18世纪中期，历时明清两代，前后三百多年，准噶尔地区的战火始终没有平息。

噶尔丹策零雄心勃勃，一心要报上次科布多之仇。他表面对清廷恭顺，暗地里却向清军发起突然袭击，清军遭受很大损失。雍正皇帝震怒，命傅尔丹为主将，前往科布多迎战。同时，以马尔滚为土默特左旗副都统，以巴特为土默特右旗副都统，两支蒙古骑兵开往前线。

巴特告别奶奶，告别家人，告别哈珠和哈森，回到归化城。桐花听说巴特要上战场，也有几分难舍，不过，她还是很高兴。桐花说，只要巴特立了功，她就赴京城找父亲通智，求他在皇上面前多进美言，给巴特恢复从一品都统。

巴特又是激动又是迷茫。十年前，就是科布多使自己从一个无名的骁骑校晋升为参领，又从参领晋升为副都统……战场上，自己劝宝树安答反正不成，背后射来一支冷箭，我到鬼门关走了一遭，可宝树安答却被通智刺死。阎王老子没收我，难道是为了让我查出那个放冷箭的人吗？我一直怀疑那支箭是通智干的，可通智把女儿桐花嫁给了我，到底是不是通智所为，至今还是一个谜。桐花刁蛮成性，过门之后，巴家鸡犬不宁，奶奶三次被她气昏……科布多呀科布多，你是我的福地，还是我的凶地？

1731年（雍正九年）阴历四月，巴特和马尔滚来到前敌。

一到科布多，巴特就听说了，清军主将傅尔丹向皇上点名要巴特。本来傅尔丹举荐巴特为副将从一品，可通智却说巴特还年轻，虽然曾官至世袭都统，但毕竟没有上任，应该多历练历练，如果一下子给他恢复到从一品，巴特产生骄纵情绪，反倒对巴特成长不利。

因为宝丰山林木之事，雍正对巴特的忠心产生了怀疑。雍正赞扬通智不以巴特是自己的女婿而徇私情，心系国家，大公无私。不过，雍正也表示，如果巴特在战场上再立新功，可以考虑擢升。

巴特心中狐疑，通智果真是心系国家吗？果真是大公无私吗？他会不会心中有鬼，担心有朝一日我位居其上，调查那支射向我后背的莫名其妙的暗箭呢？

战事不断，巴特无暇考虑这些。

中军大帐，傅尔丹将军正在和各部将领商议军情，一个军兵来报："启禀傅将军，野图岭发现千余敌军，这支人马昼伏夜出，行踪诡秘。"

清军的粮草就在野图岭附近，傅尔丹调侃地说："巴将军，你当年的战术噶尔丹策零学会了。"

巴特憨笑一下，他想请令消灭这支准噶尔军兵，巴特刚要说话，傅尔丹板起脸来，虎威一拍："马尔滚听令！"

马尔滚应道："末将在！"

"我给你三千人马，你立刻奔赴野图岭，全歼敌军，不得有误。"

"是！"

第二天一早，马尔滚回营交令："启禀傅将军，末将追杀百余里，斩敌首级二百余部，生擒六人。因为一支敌军前来接迎，加之天黑，末将未敢贸然追击。不过，末将从这六人口中得知一个秘密，特来禀告将军。"

傅尔丹传令，把其中一个敌兵押到帐中。

傅尔丹稳坐中军帐："你是何人属下？"

这是敌军的一个小头目，他哆哆嗦嗦地说："小的是阿睦尔将军属下。"

一听阿睦尔的名字傅尔丹就是一怔。傅尔丹跟阿睦尔交过几次手，双方互有胜负。这个人胸怀韬略，诡计多端，他是噶尔丹策零最为倚重的战将。而且，这次准噶尔攻占科布多，就是阿睦尔的主意。

傅尔丹对阿睦尔不敢等闲视之："阿睦尔有多少人？"

"只有两千人轻骑。"这个小头目说。

"啪"，傅尔丹一拍虎威："胡说！阿睦尔手下有三万精兵，怎么成了两千轻骑？"

小头目往上磕头："回傅将军，阿睦尔手下确有三万多人，可他把主力交给了副将，阿睦尔仅率三千人接近傅将军。当得知傅将军的粮草存放在野图岭时，阿睦尔从这三千人中分出一千，让我们前去劫粮，没想到马尔滚将军杀来，我就这么被俘了。"

从这个小头目口中得知，阿睦尔如此近距离接近清军，主要目的不是劫粮，而是引诱傅尔丹进博克托岭。准噶尔军已在博克托岭设下埋伏，试图与清军决战，全歼傅尔丹。可阿睦尔担心傅尔丹不上钩，于是，亲自出马。

傅尔丹把另外五名俘虏一一叫到中军帐，这五个人说的跟那个小头目基本一致。

傅尔丹陷入深深的沉思之中，目前我有十万之众，是阿睦尔的三倍多，可博克托岭地势狭窄，我军进去，优势可就发挥不出来了。

巴特脸上却露出喜色："傅将军，我们何不将计就计？"

傅尔丹的心一动："将计就计？"

巴特补充道："敌军想把我们引入博克托岭，我们也可以把他们引出来呀！"

"好主意！"

傅尔丹拔营起寨，大军推进到博克托岭之外。傅尔丹几次派小股军兵进山，试图诱使阿睦尔出山，可阿睦尔只追到山口，不往前走半步。马尔滚诱敌，阿睦尔不出来；巴特诱敌，阿睦尔不出来；傅尔丹诱敌，阿睦尔还是不出来。两军就在博克托岭山口这么耗着。

耗着也是一种战争，只不过这种战争打的是军队后勤补给能力和主将的定力。清军的粮草大都是从中原地区运来，道路遥远，沿途崎岖，尤其是遇到雨天，粮草很难如期到达，而敌军的粮草是从乌鲁木齐和哈密送到前敌，距离比清军近一半还带拐弯。

双方一耗就是两个多月，傅尔丹有点着急，巴特悄悄地在傅尔丹耳边说了几句，傅尔丹为之一振。

这天夜里，傅尔丹撤兵三万。

第二天夜里，傅尔丹又撤三万。

第三天夜里，傅尔丹再撤三万。

阿睦尔糊涂了，清军一连三次撤兵，十万大军眼看就要撤没了，傅尔丹搞什么诡计？

1731 年（雍正九年）阴历六月十九日清晨，乌云满天，血一般的朝阳从云层中渗出，杨柳被染红了，岩石被染红了，草原被染红了。

傅尔丹和巴特站在营外，两个人向博克托岭方向张望，一阵风从背后吹来，巴特辨了辨风向，风由东而西，吹向博克托岭。

傅尔丹狠了狠心，吩咐一声："杀马煮肉！"

几十口大锅支起，下面点上木柴，锅里的水"咕嘟咕嘟"翻滚，马肉香顺风吹进博克托岭。

不到一个时辰，肉熟了，傅尔丹下令："分食马肉。"

一万清军坐在地上吃马肉，军兵给傅尔丹割下一块，傅尔丹一边吃，一边留意博克托岭山口，突然，准噶尔军跟山洪暴发般冲了出来。

傅尔丹把马肉一摔："撤！"

第十七章

　　我怎么射不死他！我一定要射死他！我必须射死他！巴特把第三支箭拽了出来，噶尔丹策零啊噶尔丹策零，这箭我非把你射个透心凉不可！巴特瞄准噶尔丹策零，拉开弓，拉满弓，再拉弓，"嘎吱吱""啪"，弓弦绷断……

　　清军肉也不吃了，锅也不要，骑上马就跑，旌旗战鼓扔得到处都是。

　　阿睦尔一马当先杀奔傅尔丹："傅尔丹，我看你往哪里走！"

　　巴特和马尔滚同时杀来，两个人保护傅尔丹往东跑。傅尔丹一口气跑出八十多里，眼前是一片大草滩。茫茫的大草滩一眼望不到边。傅尔丹越往里跑，草滩中的草越高，有的地方甚至没到了马头。

　　可傅尔丹转回身，见阿睦尔不追了。阿睦尔站在草滩边踌躇不前。傅尔丹心道，阿睦尔真是太狡猾了，不过，这就够了！

　　傅尔丹把令旗一挥："点炮！"

　　"咚咚咚……"一阵炮过后，大草滩中伏兵四起。

　　清军都憋了一口气，一心要把阿睦尔置于死地。马尔滚冲在最前面，他咬住阿睦尔不放，阿睦尔向博克托岭败退。

　　太阳偏西，阿睦尔进入博克托岭。马尔滚立功心切，带着土默特左旗军兵就追了进去，傅尔丹和巴特率大队人马紧随其后。

可是，进山没有五里，巴特发现前方山连山，岭连岭，林深草密，怪石横生，其中隐隐透出一股阴气。

巴特勒住马的丝缰："傅将军，情况不对！"

傅尔丹看了一眼巴特："什么不对？"

巴特往山中一指："将军请看，这里山高林密，如果敌军在此埋伏一支人马，对我们可是相当的不利呀！"

傅尔丹不屑一顾："我说巴特，你怎么变得胆小了？阿睦尔被我军追得上天无路，入地无门，他手下就三万人，马尔滚咬着他的尾巴，他哪有时间设伏兵……"

正说着，山谷中杀声大作，鼓声如雷。一个当兵的跑了过来："启禀将军，马尔滚将军陷入阿睦尔的伏击圈。"

傅尔丹稍一愣神，突然大笑起来："哈哈哈……蚂蚁要摇大树，蝮蛇要吞大象了。好好好，我就给他来个反包围。加速前进！"

清军进山时路还挺宽，可是，越往里越窄。

巴特带住战马："傅将军，这里道路难行，地形复杂。天就要黑了，一旦敌人切断我军后路，我军前进不得，后退不能，那可就危险了。"

傅尔丹不高兴了："阿睦尔是噶尔丹策零的一条膀臂。我们好不容易才把阿睦尔杀得大败，只要消灭阿睦尔，噶尔丹策零就成了一只断翅的鹰。现在阿睦尔已经成了惊弓之鸟，你却不让我追。我真不明白，你当年的胆气都哪里去了？"

巴特苦劝："将军，战场局势瞬息万变。这就像一盘棋，在我们围敌军之时，敌军也在反围我们。博克托岭地势太险，而且山里的情况我们不熟悉，末将劝将军暂且退出博克托岭，等明日清晨再进山不迟啊！"

傅尔丹真生气了："巴特，亏你想得出来！我们出山，把马尔滚扔到山里，阿睦尔会让马尔滚活到明天吗？传令：全速前进，实施反包围！"

山谷深处，阿睦尔和马尔滚两军打得难分难解。傅尔丹大队人马一到，阿睦尔又往山里撤，十万清军追着阿睦尔屁股打。

六月二十日，黎明，阿睦尔的人马不见了。傅尔丹盘算，这一夜阿睦尔死伤在万人左右，他手下还应该有两万人，两万人马怎么没有一点动静？傅尔丹环视四周，山上山下浓雾弥漫，什么也看不清。山谷里非常安静，傅尔丹一皱眉，这个时间应该是百鸟鸣叫的时候，怎么没有鸟？难道真像巴特所说，阿睦尔在山中有埋伏？

傅尔丹正在想着，"咚"，一炮在傅尔丹马前炸开，傅尔丹胯下马"希溜溜"一声暴叫，两只前蹄高高扬起，差点把傅尔丹掀下去，清军一下子骚动起来。"咚咚咚……"博克托岭上炮声都要把天震塌了，傅尔丹队伍之中火光冲天，硝烟翻滚，血肉横飞。清军你撞我，我撞你；你踩我，我踩你，十万大军乱作一团。

炮声足足响了半个时辰，清军主将傅尔丹喘了口气，他辨了辨方向，随着梆子"梆梆梆……"之声，两旁的树林里，怪石后，草丛间，万箭齐发，清军连人带马往下倒。

雾气变得稀薄了，傅尔丹登上高坡一看，隐约之中，四面八方全是准噶尔的旗号，傅尔丹一拍脑门："不好，上了阿睦尔的大当！"

巴特保护傅尔丹左冲右突，可就是杀不出去。正在这时，马尔滚从前面败退回来。再看马尔滚，盔也没有，甲也散，浑身上下都是血，简直就是个血人。

马尔滚带着哭腔："傅将军，前面发现噶尔丹策零的主力，山中根本就不只阿睦尔一支敌军。"

傅尔丹大惊："巴特，你和马尔滚在前面开道，快撤！"

"是！"

"是！"

巴特两脚一踹镫，手中三尺七寸长的大砍刀杀向准噶尔军。巴特往左一砍，准噶尔军倒下一面子；往右一砍，又倒下一面子，简直就跟虎入羊群一般。马尔滚虽猛，但跟巴特比起来还是逊色一筹。

此时，云开雾散，山坡之上准噶尔军簇拥着一个人，此人头戴展翅飞鹰冠，身穿紫金龙鳞甲，外罩杏黄袍。高额头，深眼窝，通天的鼻梁，方海口，颔下微微有点胡子。这个人就是准噶尔汗国可汗噶尔丹策零。

噶尔丹策零立马山头，眼睛盯着山下的巴特。巴特头戴乌金盔，身披乌金甲，外罩海蓝色英雄氅，两道蚕眉，一双细目，面色微黑，颧骨凸出，胯下一骑乌龙马。

噶尔丹策零暗暗吃惊，这员战将跟天神一般，我的大军怎么挡不住他？噶尔丹策零问身边的战将："宝树将军，清军这员战将是什么人？"

宝树以手抚胸："回可汗，此人名叫巴特，是土默特部人。十年前，他曾以五十人夜入我军大营，斩杀我军主帅；在一次行军途中，清军已被我军包围，眼看就要全军覆没，他夺我军帅旗，使我军指挥失灵，清军反败为胜；还有一次，清军与我军对阵，我军一员大将连胜六阵，打得清军不敢出战，巴特一箭射出，我军那员大将当场毙命。还有，末将率一千多人押运粮草，愣是被巴特的一百多人杀得大败……"

十年前，宝树押粮运草，巴特深入敌后，力劝宝树重新回到清军队伍之中。巴特背后中箭昏迷不醒，宝树被通智一枪扎进前心。通智以为宝树必死无疑，巴拉更是救弟心切，匆匆而去。巴拉、通智刚走，准噶尔的大队人马就到了。幸亏救治及时，宝树才死里逃生。

噶尔丹策零注视宝树："宝树将军，你想雪上次粮草被劫的耻辱吗？"

宝树脸一红："当然想。"

噶尔丹策零郑重地说："那我就给你一个机会，把巴特给我擒来！"

宝树的眉毛连皱了几皱，生擒巴特？我一千人都打不过他一百人，怎么擒？

噶尔丹策零看出了宝树的心思，他脸色凝重："这样，我配合你……"

噶尔丹策零把自己的想法跟宝树一说，宝树连连摇头："可汗，这太危险了，末将不能答应！"

噶尔丹策零脸一沉："这是军令！难道你要抗令吗？"

宝树张了张嘴："是，可汗……"

巴特和马尔滚奋力拼杀，准噶尔军纷纷往后退。半个时辰过后，两个人突破重围，傅尔丹将军也跟了出来。可没跑出三里，后面喊杀震天，敌军又追了上来。

巴特把马一旋，对傅尔丹道："将军快走，我来断后！"

傅尔丹走了两步又停住了，面有愧色："巴特将军，我们一起走。"

巴特坚定地说："不挡住追兵，我们谁也走不了，将军快走！"

傅尔丹还是不放心，他对身边的马尔滚道："马将军，你和巴将军一起断后。"

马尔滚应道："是，将军！"

巴特和马尔滚带领手下军兵拦住敌军，双方又是一场凶杀恶战，直杀得天昏地暗，尸横遍野，血流成河。

巴特和马尔滚且战且走，忽见山坡之上有一把黄罗伞，黄罗伞下有一匹黄骠马，马上之人手持令旗正在摇晃。巴特一看那仪仗，那派头，他立刻想到，此人必是噶尔丹策零！我说敌军怎么这么快就追上来了，原来他在这儿指挥呢！巴特仔细看了看，见噶尔丹策零身边只有几十个卫兵。巴特为之一振，擒贼先擒王，要是把噶尔丹策零宰了，敌军必乱。

艺高人胆大。巴特让马尔滚掩护，他纵马向山坡奔去。眨眼间，巴特就到噶尔丹策零面前，噶尔丹策零拨马就走。巴特冷笑，想走，没门！巴特把三尺七寸长的大砍刀往背后一插，左手持弓，右手从箭囊里抽出一支箭，"嗖"的一声就射了出去。

这支箭跟长了眼睛似的，"噗"的一声正中噶尔丹策零的后心。巴特以为噶尔丹策零非落马不可，可箭射进噶尔丹策零背上，噶尔丹策零只是在马上晃了两晃，居然没掉下来。怎么回事？凭我的臂力，噶尔丹策零就是身披重甲也能穿透，难道我的弓没拉满？巴特又拽出一支箭，他弯弓如满月，箭走似流星，"噗"，第二支箭又射进了噶尔丹策零的后心，噶尔丹策零在马上又是一晃，还没掉下来！

巴特火往上撞，我怎么射不死他！我一定要射死他！我必须射死他！巴特把第三支箭拽了出来，噶尔丹策零啊噶尔丹策零，这箭我非把你射个透心凉不可！巴特瞄准噶尔丹策零，拉开弓，拉满弓，再拉弓，"嘎吱吱""啪"，弓弦绷断，箭落在地上。巴特气得直咬牙，这真是越着急越出问题。

巴特索性把弓一扔，从背后把三尺七寸长的大砍刀抽了出来，用刀背猛抽胯下这匹马，这匹马"希溜溜"一声暴叫，四蹄蹬开，踏碎石，穿小溪，越树丛……巴特暗道，上天我追你到灵霄殿，入地我追你到鬼门关！

巴特两耳生风，两旁的怪石、大树纷纷往后倒，可是，巴特越想追噶尔丹策零越追不上。也不知跑了多远，转过一个山环，噶尔丹策零不见了。

巴特带住坐骑，噶尔丹策零哪儿去了？上天了？入地了？巴特正想着，发现自己单人独骑置身于一道狭谷之中。这条狭谷两边是陡峭的悬崖，悬崖上寸草不生，都是光滑的岩石。太阳斜射而下，巴特一阵眩晕。

巴特正疑惑之际，大地"轰隆隆"地剧烈颤抖起来，两侧悬崖上的石头雨点般滚落，狭谷前面的出路被石头堵死，巴特的马不由得倒退好几步。

巴特只得拨马往回走，"咚"的一声炮响，一支敌军拦住巴特的去路，为首之人高声道："巴特安答，你好吗？"

一见宝树，巴特呆了："宝树安答？你，你还活着！"

宝树在马上点点头："巴特安答，你能活到现在，也是出乎我的意料啊！"

巴特莫名其妙："宝树安答，你说的是什么意思？"

宝树叹道："巴特安答，难道你忘了当年通智在你背后射的那一箭了吗？当时你翻身落马，我以为你早就不在人世了。"

巴特两道眉毛往起一立："什么？你说我背后那支箭是通智射的？"

宝树惊诧："巴特安答，难道你不知道？十年前，你拦住我的粮队，劝我反正。我没有答应，你放火箭烧我的粮车，我一千多军兵不敌你的一百多人。恰在此时，通智杀来，向你后背射了一支箭。"

巴特追问："是你亲眼所见？"

宝树一脸赤诚："当然是我亲眼所见，我可以对长生天发誓。"

巴特一直怀疑那支箭是通智暗下毒手，现在宝树说出事情的经过，巴特目眦尽裂："果然是老贼！"

宝树劝道："巴特安答，傅尔丹被我军四面包围，你们已经到了穷途末路，你这样抵抗毫无意义。噶尔丹策零可汗非常赏识巴特安答，为了把你收到帐下，可汗不惜生命危险，亲自引你到这里。你的箭太厉害了，可汗身披三重宝甲，都被你射穿了，现在医官正在为可汗诊治。可汗说了，只要你能归降，可汗就是再中几箭也心甘情愿。巴特安答，放下兵刃吧，让我们兄弟在一起，杀通智，灭清朝，永远也不分开。"

巴特眼睛一瞪："宝树安答，你叛国投敌，与朝廷作对，难道还要拉我下水吗？"

宝树凄然一笑："巴特安答，天下间没有一个人想叛国投敌，都是被逼无奈。我何尝不想报效国家，可我杀敌立功，通智占为己有；我跟他理论，他打我四十军棍。就是这样通智仍不罢休，他命我带伤前去讨战。我连上马都困难，怎么杀敌？结果被准噶尔军俘获。当时，噶尔丹策零可汗是三军主将，是他治好了我的伤，把我从鬼门关拉了回来。可汗对我有救命之恩，我才降了准噶尔。巴特安答，准噶尔是蒙古人的准噶尔，你是蒙古人，你武艺比我强，能耐比我大，你要归降噶尔丹策零可汗，一定会比我更有前途。"

巴特冷冷地看着宝树："宝树安答，你的夫人我的姐吉好吗？你的儿子我的侄儿好吗？"

宝树一脸茫然："什么意思？"

巴特怒道："男子汉大丈夫，你一个人独享富贵，置妻儿不顾，不管他们死活，你还有脸劝我归降？我可以死在你手里，但让我投降，除非草原变成沙漠，山羊变成骆驼！"

说着，巴特举起大砍刀。

宝树见巴特杀了过来，他往后就撤。

巴特想杀出这条狭谷，他把马打得跟飞了一般。可没跑多远，"啪"的一声，一道绊马索弹起，巴特一提马的丝缰，胯下马一跃而起。这匹马刚一落地，第二道绊马索弹起，巴特又提马的丝缰，胯下马二次跃起。就在这匹马落地的瞬间，第三道绊马索弹起，巴特再提马的丝缰……

博克托岭，双方大战已经超过了一昼夜，巴特人没吃，马没喂，连口水都没喝，巴特和他的马体力严重透支。如果是平时，这匹马跳三道绊马索不成问题，可是，现在这匹马只跳起二尺多高，"扑通"一声，马失前蹄，巴特从马脖上摔了下去，"咕噜咕噜"地被摔出十几步，"当"的一声，头盔撞在一块巨石上。巴特眼前一黑，什么也不知道了。

宝树从马上跳下，他紧跑几步来到巴特近前。见巴特头盔下鲜血汩汩流出，宝树俯身呼唤："巴特安答！巴特安答……"

巴特声息皆无。

宝树迅速把自己的英雄氅解下来，旁边一名小校也脱下了自己的战袍。宝树把两件战袍的下摆系在一起，铺在地上，四名军兵把巴特托起来，放在战袍上。

宝树怕对巴特造成二次伤害，他连声道："轻点！轻点！"

四名军兵各拉战袍一角，宝树命道："快！随我出谷，马上找医官诊治。"

宝树很快就到了狭谷口，迎面正遇上马尔滚。

巴特追杀噶尔丹策零，马尔滚配合巴特阻击敌军。可是，杀着杀着，马尔滚发现巴特进了狭谷。马尔滚暗道不好，巴特有危险。马尔滚留下大部分人马阻挡敌军，他带百余名土默特左旗蒙古兵来救巴特。

宝树急于给巴特治伤，见马尔滚拦路，他吩咐一声："放箭！"

"嗖嗖嗖"，箭如雨下，马尔滚只得晃手中兵刃拨打雕翎。马尔滚不但无法接近巴特，而且还有二十几个土默特左旗蒙古兵中箭落马。他干着急，没办法。

就在这时，马尔滚身后有人高声断喝："马将军，你已经陷入绝境。我们都是蒙古人，都是苍狼和白鹿的后代，都是成吉思汗的子孙。那些满人是什么东西？他们是没有父亲的野种，我高贵的蒙古人，怎么能为他们卖命？"

马尔滚回头一看，见说话之人正是阿睦尔。

第十八章

巴特明白了，通智之所以把桐花嫁给我，是想用他女儿堵住我的嘴，封住我的心，通智太奸诈了！怪不得桐花在我们家那般刁蛮！这都是通智的诡计！我要找皇上告御状！我要戳穿通智的丑恶嘴脸！

相传，很久以前，一条苍狼和一只白鹿相爱了，它们结合后生下一个猛男，猛男十代单传，第十一代终于有了两个儿子。哥哥为弟弟娶来一位美丽的少女阿兰豁阿，弟弟与阿兰豁阿生了两个儿子就去世了。可是，失去丈夫的阿兰豁阿又生了三个儿子。人们对这件事颇有微词，阿兰豁阿解释说，这三个小儿子是她与梦中的一个神人所生。每当天黑之后，这位神人就从天而降，早晨迎着朝霞而走。人们惊骇了，都认为这三个孩子是上天的儿子。蒙古民族的风俗是，女人嫁到夫家就永远是夫家的人，即使丈夫死了，她一切的一切，也都是夫家的。所以，不但没有人否认这三个小儿子是本族人，而且还把这三个孩子及其后人称为纯洁出身的蒙古人。三个孩子中，最小的叫孛端察儿，孛端察儿的后代繁衍生息，逐渐形成了十余个部族，这十余个部族统称蒙古部落。孛端察儿八代后，蒙古部落乞颜部族降生了一个震撼世界的男孩，他就是铁木真，后来的成吉思汗。

满人也有自己的故事——长白山有个天池，天池边有棵树。天上的三位仙女到池中洗澡，衣服脱在树下。一只喜鹊衔着一枚果子落到树上。大概这只喜鹊是位生理健全的男性，见三位仙女美貌绝伦，口水便成了涓涓溪流。喜鹊大概是想唱支山歌给仙女听，可一张嘴，果子掉了，"啪"的一声落在最小仙女的衣服上。三位仙女洗完澡上岸，小仙女拿起果子就吃，那果子刚一入口，"咕噜"几声就下肚了，小仙女因此有了身孕，十三个月后，生下一个男孩，这个男孩长大繁衍生息，形成女真各部。满人就是女真人的一支。男孩虽有"仙气"，可孩子却是没有父亲的单亲儿童。所以，阿睦尔骂满人是没有父亲的野种。

马尔滚大叫："阿睦尔，我上了你的大当，今天我非宰了你不可！"

马尔滚两脚一踹镫，杀向阿睦尔。阿睦尔身后的军兵往前一冲，双方战在一处。马尔滚的土默特左旗军兵人少势孤，阿睦尔的队伍将其团团包围。

宝树只想救巴特，无心跟马尔滚恋战，他保护昏迷的巴特就走。迎面噶尔丹策零纵马而来，他胸部缠着绷带，身后跟着无数准噶尔军。

噶尔丹策零老远就喊："宝树将军，巴特抓到没有？"

宝树迎上前："可汗，抓到了，可巴特伤势很重。"

噶尔丹策零回头高喊："医官！医官！"

噶尔丹策零知道巴特是一只猛虎，这只虎不受伤，不可能抓住他。所以，他不顾自己身上的箭伤，带医官赶来。

宝树激情澎湃，可汗真是一代明主，为巴特安答想得如此周全。巴特要是知道，就是铁打的心也会感动。

马尔滚率手下军兵左冲右突，可就是冲不出去。他身边的土默特左旗军兵越来越少，最后只剩下马尔滚一个人了。阿睦尔一摆手，准噶尔军停止进攻。

阿睦尔分开人群，来到马尔滚面前："马将军，你看看地上的尸体，哪个不是我们蒙古男儿？投降吧，我们蒙古人再也不能自相残杀了。"

马尔滚万念俱灰，心说，完了，彻底完了。"咣当"一声，马尔滚把兵刃一扔，把牙一咬，从腰间拽出佩刀。他往脖子上一横，就要自杀。

突然，有人大喝一声："住手！"

马尔滚一愣，他顺着声音的方向一看，噶尔丹策零向他走来："马将军，准噶尔汗国是蒙古人的汗国，难道你情愿去死，也不愿为我们蒙古人尽一份责任吗?"

马尔滚看着噶尔丹策零，手中刀仍横在自己颈前。

见马尔滚动了心，噶尔丹策零的马慢慢走向马尔滚。两个人的距离渐渐缩短，九步，八步，七步……

如果此时马尔滚杀向噶尔丹策零，噶尔丹策零必有危险，阿睦尔大叫："可汗!"

"可汗!"准噶尔的军兵也为噶尔丹策零捏一把汗。

噶尔丹策零不为所动，他继续向马尔滚走去。六步，五步，四步……

只要马尔滚一回手，他的刀就能刺到噶尔丹策零的咽喉! 可噶尔丹策零仍往前走。

"可汗，你不能……"阿睦尔再次大叫。

噶尔丹策零仿佛没有听见。

所有准噶尔军兵都盯着噶尔丹策零和马尔滚，偌大的山谷静得都能听到人们的呼吸声。三步，两步，一步……

噶尔丹策零到了马尔滚面前，马尔滚呆呆地看着噶尔丹策零。噶尔丹策零慢慢地抬起右臂，拨开马尔滚握刀的腕子，拉过他的手，掰开他的手指，抓过他的刀柄。噶尔丹策零手一挥，刀被抛在空中。佩刀在空中翻了几番，转了几转，"啪"的一声落在地上，扎进土中。

马尔滚和噶尔丹策零对视着，对视着……片刻，马尔滚滚鞍下马，"扑通"跪在噶尔丹策零马前："可汗，马尔滚罪该万死!"

噶尔丹策零跳下马，双手把马尔滚搀了起来。

第二天中午，巴特终于睁开了眼睛。见巴特醒来，宝树又惊又喜："巴特安答，你可醒了。"

巴特头痛欲裂，有气无力："这是什么地方?"

宝树没有回答，而是说："巴特安答，你好些了吗? 可汗对医官下了死令，不惜一切代价把你抢救过来。"

巴特两眼无神："我被俘了?"

宝树自责道："巴特安答,我对不起你,让你受了伤。"

巴特猛地坐起,他下地就走,可刚迈出两步,就一阵眩晕,眼前一黑,瘫了下去。

宝树把巴特扶到榻上:"巴特安答,快躺下!快躺下!"

巴特躺在榻上,他在想,什么不惜一切代价救我,那不过是噶尔丹策零收买人心。我家在土默特,奶奶在土默特,哥哥姐吉在土默特,所有的亲人都在土默特。我降了,他们岂不成了叛贼的家属?可我现在落入他们手中,手无缚鸡之力,我能怎么办?我自杀殉国吗?不!我和通智之间的账还没有了断,我就这么死了,那不是太便宜通智了吗?我要活!我要活着回去!我要找通智老贼算账!猛然间,巴特想到桐花,巴特明白了,通智之所以把桐花嫁给我,是想用他女儿堵住我的嘴,封住我的心,通智太奸诈了!怪不得桐花在我们家那般刁蛮!这都是通智的诡计!我要找皇上告御状!我要戳穿通智的丑恶嘴脸!

又是三天过去了,博克托岭之中的喊杀声一直没有停。双方打得十分激烈,可噶尔丹策零还是坚持每天探视巴特。巴特根本不看噶尔丹策零,只要噶尔丹策零一来,巴特就闭上眼睛。

天黑了下来,宝树端着手扒肉和羊汤走进帐中。宝树要喂巴特,巴特一推宝树的手,他不让宝树喂,自己抓起肉就吃,端起汤就喝。

吃饱喝足,巴特往榻上一躺,两眼一闭。

也不知过了多长时间,一个军兵走来:"宝树将军!宝树将军!"

宝树怕影响巴特休息,他示意这个军兵不要说话,两个人一前一后走到帐外。

帐外传来说话声——

"什么事?"

"可汗叫你过去,有要事跟你商量。"

"好!你们四个看好巴特,不得有半点差池!"

"是!宝树将军。"

脚步声由近而远。

巴特猛地睁开眼睛,他翻了个身,面朝帐门。帐外火把燃着,四个军兵两左两右站在门外。巴特又往帐内看了看，见帐壁上挂着一个箭囊，箭囊里插着一张弓，还有十几支箭。箭囊下面有张红漆桌子，自己三尺七寸长的大砍刀就在桌子上放着。

巴特激动起来，这真是天赐良机！巴特慢慢地坐起来，头虽然还疼，但比前几天轻多了。他悄悄地穿上鞋，蹑手蹑脚地来到红漆桌前，把箭囊往腰上一挎，伸手抄起自己的大刀，"噌"地蹿出帐门。四个军兵刚要拔刀，巴特的大刀一划拉，四个人的咽喉都断了，巴特闪身躲到黑暗之处。

远处喊杀声不时传来。巴特心想，看来山中还有清军，我必须尽快回到清军队伍之中。我要找匹马，不然，我跑不了多远就得被他们抓回来。

巴特哪儿黑走哪儿，哪儿暗走哪儿，正往前走，一顶大帐出现在眼前。帐门的篝火旁站着四个军兵，四个军兵几步之外有棵大树，树下拴着三匹高头大马，马上都备着鞍子。

巴特摸到树下，正要解马的缰绳，两个军兵走了过来，一个拎着灯笼，另一个提着袋子，巴特急忙躲到树后。两个军兵来到马前，一个举灯笼照亮，另一个把袋子里的草料倒入马槽。巴特一个箭步上前，"噗噗"两声，两个军兵的脖子都断了，灯笼落在地上，灯笼罩烧着了。

巴特麻利地解开一匹马的缰绳，他飞身上马，两脚踹镫。哪知这匹马发现背上不是自己的主人，它"咴咴咴"地打着响鼻，"嗒嗒嗒"地原地转圈。

巴特并不知道，眼前这顶大帐是噶尔丹策零的临时汗帐，这三匹马都是噶尔丹策零的坐骑。蒙古人打仗通常每人配两三匹马，在行军中换骑，以保持马的体力。这三匹马也不是一般的马，都是汗血宝马。

汗血宝马产于西域，体型饱满，头细颈高，四肢修长，长途奔跑时肩上的汗殷红如血，因此称汗血宝马。古书上称这种马"日行千里，夜走八百"。如今，纯种的汗血宝马只产于土库曼斯坦，土库曼斯坦视其为国宝。

帐门前的两个军兵发觉树下有动静，又见有人骑在马上，地上灯笼着了，这两个人立刻感到不妙："不好！有刺……"

一个军兵话还没说完，"嗖"，一支箭已经射中了他的前心。另一个军兵刚要跑，后背"噗"地中了一箭，两个军兵倒下一对儿。

宝树闻声冲到帐外："抓刺客！抓刺客！"

一队人马赶来，一部分人追向巴特，一部分人保护噶尔丹策零。

巴特用刀背猛抽胯下这匹汗血宝马，这匹马疼痛难忍，连蹿带蹦，疾驰而去。

巴特不熟悉博克托岭中的山路，任凭这匹马狂奔。也不知跑了多少时间，天渐渐地亮了，眼前出现一片草原，一轮红日冉冉升起。

巴特心花怒放，我出山了！

正在这时，山谷里喊杀大作，鼓声、炮声连成一片。

巴特暗道，难道傅尔丹将军还没出山？清军还被困在山中？不行，我不能一个人走，我一个人跑了，那不是临阵脱逃吗？我得杀进去，和傅将军同生共死。

傅尔丹被阿睦尔包围在一个高坡上，阿睦尔全力攻山，傅尔丹眼看自己的人马越来越少，心中不禁生出一股寒意。

巴特举起三尺七寸长的大砍刀冲向阿睦尔的后队。巴特忘了伤痛，那真是人似猛虎，马赛蛟龙，"噼哧扑哧"就跟砍瓜切菜一般，准噶尔军挨上死，碰上亡。片刻，敌军的队形被巴特冲得七零八落，巴特很快杀到了傅尔丹面前。

"将军，跟我走！"

趁阿睦尔调整队形之机，巴特带傅尔丹杀出重围。

博克托之战打了十二天，直到七月初一，傅尔丹才率领残兵败将退回科布多草原。

这场恶战是清军攻打准噶尔以来最为惨烈的一仗，傅尔丹手下大将战死者七人，身陷绝境自杀者八人，三品以上的将军失之八九，被俘投降者无数，十万大军只剩了八千。

准噶尔军大获全胜，噶尔丹策零准备直插喀尔喀腹地，将外蒙纳入准噶尔汗国版图。然而，沙俄军队再次进入准噶尔境内，噶尔丹策零担心清朝与沙俄联手，没敢轻举妄动。

对于这场战争，雍正皇帝认为，清军之败，败在后勤补给上。从中原起运十车粮食，到科布多，最多能剩六车，人力、物力和财力耗费惊人。

1734 年（雍正十二年），雍正皇帝派傅鼐前往准噶尔汗国都城伊犁（新疆伊宁），与准噶尔划定疆域，双方以阿尔泰山为界，互相通商，互不侵犯。

边界休战，巴特返回归化城，他来到土默特右旗副都统衙门。土默特右旗副都统衙门还和当初一样，没有什么变化。

巴特走向后宅，一个官员上前道："大人，夫人不在。广顺昌的东家宋继文新进了一批珠宝，他不辨真假，请夫人给鉴定一下。下官已经派人通禀夫人了，夫人一会儿就回来。"

巴特心说，我走时，桐花还在我们分家买的那个宅子里住着，我没让她搬进来，她是什么时候搬进来的？巴特让这个官员给自己准备一下，他要回沙尔沁省亲。

官员问："带夫人一起去吗？"

巴特冷冷地说："不带。"

巴特到建威将军府向申慕德告假，然后，带几个军兵赶往沙尔沁。

巴拉、锡兰以及巴氏家族各房各室都围在巴特身边，众人问长问短，一家人其乐融融。

太夫人一手拿着烟袋，一手拉着巴特的手："孙儿呀，你从科布多回来几天了？"

巴特道："奶奶，孙儿昨天刚回来。"

太夫人犹豫一下又问："桐花，桐花没，没跟你一起来？"

巴特不想提桐花，他叫军兵把从归化城给家人买的东西拎进上房："奶奶，你试试这件貂皮袍子，看看合适不？大姐吉，这顶银狐帽子是给你的……"

见巴特对桐花含糊其词，太夫人道："孙儿呀，奶奶见到你就放心了。不过，奶奶不能留你，你明天到包头召家庙敬佛祭祖之后，就马上回归化城和桐花团圆吧。"

巴特摇了摇头："奶奶，我请了一个月假，暂时不用回去。"

太夫人把大烟袋往铜盂上一磕，"当"的一声："桐花是你媳妇，咱们巴家祖祖辈辈可没有把媳妇扔在家里不管的家风。再说了，你们到现在还没有孩子，总得要个孩子吧？"

见奶奶生气，巴特只得含糊地应道："啊，行，奶奶……"

哈珠站在上房的角落里，巴特转移话题，他问哈珠："哈珠，我走时哈森还在咱们家，怎么没见哈森？"

哈珠面有愁容："自从都统少爷走后，哈森就去了包头召家庙，他每天跟二少爷道尔吉师父习文练武。"

正说着，哈森从外面跑了进来："阿爸！"

哈森扑到巴特怀里，巴特抱起哈森："哎呀！儿子，两年没见，你长这么高了！告诉阿爸，你二大爷都教你什么了？"

哈森自豪地说："'四书'、'五经'、十八般武艺，都教了。"

巴特笑逐颜开："好小子，走，到院里给阿爸练两趟。"巴特趁机和哈森出了上房。

入夜，大哥巴拉把巴特叫进自己的卧房，巴拉想劝巴特早点回归化城与桐花团聚，可还没等他开口，巴特就急不可待地说战场的事。巴特把遇到宝树，宝树目睹通智向巴特背后射冷箭的事，详详细细告诉给大哥。

巴特咬着牙："通智不但差点害死我，还用他的女儿来害咱家，害奶奶，我要进京告御状。按大清律：战场上，向本部将领放冷箭就是通敌！"

巴拉大惊："老三哪，你可不能拿鸡蛋往石头上碰！通智是京官，当朝一品，位高权重，咱们斗不过人家。吃一堑，长一智。你已经丢了一次官，不能丢第二次！"

第十九章

巴特暗道，通智的女儿如此粗俗，还自称是一品大员的女儿，实在是没有脸皮！

夜里，哈森和巴特一起睡在西厢房，哈森钻进巴特的被窝，巴特搂着哈森。哈森问战场，问杀敌，问傅尔丹，问噶尔丹策零；巴特问哈珠，问李家夫妻，问哈森的志向，这对义父子一直说到后半夜方才睡去。

第二天清晨，"当当当"，上房敲击铜盂的声音响起。这是巴家祖训，是巴家早起的号令。除了桐花违反过，其他人无不遵守。巴特穿好衣服，见哈森还没醒。巴特想，哈森还不能算巴家人，孩子昨夜睡得晚，让他多睡一会儿。

门开了，哈珠端着洗脸水走了进来："都统少爷，太夫人让哈珠伺候都统少爷洗脸梳头。"

太夫人非常喜欢哈珠，哈珠虽然身份低，可她懂人情、晓事理，伺候太夫人细心周到。对于巴特、哈珠、哈森三个人的关系，太夫人如同雾里看花，似明白又不清楚。巴特是哈森的师父，可哈森不叫师父，而是叫阿爸，两个人情同父子。再说哈珠和哈森，哈珠曾亲口承认哈森是她的孩子，太夫人也知道，孩子生病时，哈珠比她自己得病还急。然而，就在巴特二赴科布多之前，哈珠又矢口否认她是哈森的额吉。巴特和哈珠两个人的眼神也让太夫人费解，巴特总是情不自禁地看哈珠，哈珠则是接触巴特的目光就回避。相反，巴特不看哈珠的时候，哈珠又总是偷偷地看巴特。

太夫人对哈森也喜欢得不得了，这孩子像哈珠一样善解人意，长相也有几分像巴特，太夫人分析，哈森很可能是巴特和哈珠生的，两个人一起跟我老太太打埋伏。

太夫人猜想，巴特、哈珠不敢承认是因为桐花。从心里讲，太夫人不喜欢桐花。桐花时时以正黄旗满洲自居，仗着她阿玛通智的势力在家耍威风，巴家上上下下，没有一个人放在眼里。

相反，太夫人觉得巴家对不起哈珠，太夫人要用自己的心去温暖哈珠。可是，巴特和桐花毕竟是结发夫妻，老人不能让巴特和哈珠不明不白地在一起。尤其是巴特这次省亲，巴特连桐花的面也没见就回了沙尔沁。当初，桐花就因巴特和哈珠，大年三十砸了李家，又砸了太夫人的上房，这次桐花知道了，必定又是一场激烈的争吵。

昨天夜里，老人思索再三，哈森都这么大了，生米早就做成了熟饭，太夫人决定给巴特、哈珠一个机会，让他们在一起说说心里话。然后，就让巴特回归化城。因此，老人打发哈珠到西厢房。

巴特洗完脸，哈珠给巴特梳头。清代以前，蒙古男人通常是把额前的头发剪成刘海儿状，脑后梳成两条辫子。到了清朝，全天下的男人都要剃成满人的头型，以示对满人的臣服。

巴特洗完脸坐在镜子前，哈珠站在巴特身后，她拿着梳子在巴特头上缓缓地、轻轻地滑动。一种幸福感在巴特心中油然而生，但两个人都默默无语。

还是巴特先开了口："不说点什么吗？"

哈珠声音哀婉："有什么好说的……"

巴特思索一下："哈森的阿爸好吗？"这也是巴特心中的谜，他一直想知道哈森的亲生父亲是谁。

哈珠的手抖颤一下："有你他阿爸会好吗？"

哈珠的话带有强烈的怨气，而且，连都统少爷也不叫了。这可大大出乎巴特的意料。巴特想转过头，可哈珠紧紧地抓住巴特的头发，巴特觉得头皮都要被哈珠揪起来了，哈珠哪来这么大的手劲儿？

巴特莫名其妙："哈珠，你怎么了？"

哈珠狠狠地说："我想杀你！"

说话间，哈珠一只手拔下自己头上的金钗，照巴特的脖子猛地扎了下去。眼看金钗就要触到了巴特的皮肤，"啪"的一声，哈珠的腕子被人死死地掐住，哈珠扭头一看，见是哈森。

巴特洗脸时，哈森就醒了，但他没动。长这么大，他连自己的生父是谁都不知道，哈珠是不是他额吉，他也不清楚。他想听听巴特和哈珠的说话，想从他们的说话中了解自己的身世。所以，哈森躺在炕上眯着眼睛装睡。当哈珠说想杀巴特时，哈森猛地睁开眼睛，见哈珠举金钗刺向巴特，哈森一跃而起。

哈森横眉立目："你要干什么？"

哈珠吓了一跳，她呆呆地看着哈森，揪着巴特头发的手松开了。巴特转过头，见哈珠惊讶的表情和哈森怒视的目光，巴特脸一沉："哈森，还不放手！"

哈森道："阿爸，她要杀你！"

巴特站起身："哈珠在跟阿爸开玩笑，她怎么可能杀阿爸呢？快放开。"

哈森虽然还是个孩子，可手劲儿很大，哈珠无力挣脱。

哈森放开哈珠，哈珠的眼泪扑簌簌地掉了下来，一转身，哈珠跑出了西厢房。

早饭后，巴特到包头召家庙拜佛祭祖。香燃了起来，巴特长跪在佛像前，心中暗暗祷告，通智奸诈残忍，心狠手辣，他逼走宝树，向我放冷箭，不知害了多少人。神佛，请您保佑我为国除奸，让通智早一天得到应有的下场。

"噔噔噔"，一阵急促的脚步声传来："老三？老三？"

巴特一回头，见巴拉匆匆而至。

巴特问："大哥，怎么了？"

巴拉急切地说："申慕德将军派人来，叫你马上回归化城！"

建威将军申慕德对巴特十分赏识，巴特在省亲，申将军这么远派人叫巴特回归化城，必有急事。巴特不敢怠慢，他辞别家人，赶往归化城。

到了归化城，巴特直奔建威将军衙署。巴特一到，申慕德立刻组织参领以上官员开会，会议的内容有三项：第一，因为马尔滚投降准噶尔，雍正皇帝震怒，要彻查科布多战场上的降兵降将，缉拿他们的家属，男人发配从军，女人收为官奴；第二，朝廷要在归化城积草囤粮，增加驻军，以备准噶尔再次挑衅；第三，朝廷准备在归化城附近修建一座新城，雍正皇帝派新任的工部尚书为钦差，专门负责造城。

申慕德要求各级衙门马上行动，一方面抓捕降兵降将的家属，一方面征调工匠民夫。

有人问："申将军，这位新任的工部尚书是哪位大人？"

申慕德摇了摇头："我也不清楚，听说是从户部提拔的，此人刚正不阿，和蔼可亲，口碑不错。"

巴特心中一动，"刚正不阿""和蔼可亲"，这肯定是个清官。太好了！老贼通智罪大恶极，我要向钦差告状，他的末日到了！

从建威将军衙署出来，巴特向归化城副都统衙门走去。刚到衙门口，就见两伙人在衙门前拉拉扯扯，一伙人身着汉服，一伙人身着蒙古袍。很明显，这是蒙汉民之间发生了纠纷。

巴特身边的军兵喝道："副都统大人到！"

蒙汉百姓各自退到一旁。

巴特上前问："怎么回事？"

蒙汉百姓都跪下了，一个汉民道："大老爷，我们商队路过城外，没有地方做饭，见有一堆石头，就搬了几块架锅生火，可饭还没煮熟，他们就来了，非要我们向石头请罪。我们一没杀人，二没放火，三没偷，四没抢，我们犯什么罪了？"

蒙民道："大老爷，他们拆毁敖包，我们失去天神的保护，大难就要临头。我们跟他们讲理，他们不但不听，还出言不逊。"

"我们没有出言不逊，我们只说这是一堆乱石头。"

"大人，你听听，敖包是我们蒙古人神圣的地方，他们竟说是堆乱石头。这是对天神的亵渎，对我们信仰的不敬，请大人为我们做主！"

巴特明白了，这是汉人不了解蒙古人的习俗，擅自搬了敖包的石头，引起了蒙古人的不满。可是，草原地区实行蒙汉分治，汉人事务归山西省，蒙民事务归归化城副都统衙门，涉及蒙汉纠纷的事件，都要由归化城副都统衙门和山西省会审，山西省在草原设了几个厅，审理蒙汉民纠纷的案子下放到了各厅。厅最大的官叫同知，是五品文官。

相对来说，土默特右旗哪个章盖发生的案件由哪个章盖出面审理。巴特把当地的章盖叫来，同时，也向归化厅同知通报情况。

归化城同知和当地的章盖都到了，双方就在归化城副都统衙门内设了个公堂，巴特旁听，归化城同知和当地章盖两堂会审。

归化城同知在草原为官多年，当然知道蒙古人对敖包的敬畏，汉人随意搬动敖包的石头，蒙古人肯定不答应。归化城同知一拍桌案："商队头领何在？"

刚才说话的那个汉民跪在地上："大老爷，草民在。"

"你叫什么名字？"

"草民赵五。"

"可有朝廷颁发的大照？"

在清朝，不是什么人都可以到草原上做买卖的。要到草原上做买卖，必须有朝廷颁发的执照。执照当时叫大照。

赵五把执照呈上，归化城同知看完放在桌上："本官问你，你们为什么要拆毁敖包？"

赵五道："回青天大老爷，我们第一次踏入草原，没见过敖包，以为就是一堆石头。我们都是内地的，听说草原上生意好做，我们几家商号凑了点银子，进了些布匹和茶叶，可刚到草原，就发生了这件事。我们是做买卖的，还要指望当地的神灵庇佑呢，如果知道那是蒙古人崇拜的神，打死我们也不敢动。大人，我们愿给蒙民弟兄赔礼认错，愿向敖包神请罪。"

归化城同知见赵五态度很好，便道："本官命你等立刻把敖包恢复原貌，宰杀牛羊，向敖包请罪，求天神谅解，求蒙民宽恕。"

赵五诺诺连声："是是是，大老爷。"

归化城同知转过头问章盖，章盖本来很气愤，可听赵五这么说，他的火也消了，他对蒙民说："不知者不怪，我们草原人的心胸应该像草原一样宽广。商队的汉民世居内地，对我们草原的习俗不了解，就原谅他们吧。"

赵五忙向章盖磕头，又向归化城同知磕头，然后，站起身又向蒙民抱拳："诸位蒙古兄弟，对不起，对不起，我等实在不知，你们怎么处罚我们都认。"

当时的蒙古人全民信奉喇嘛教，喇嘛教是佛教的一支，宽容忍耐是该教教规中的重要内容。既然这位汉民兄弟这么诚恳，蒙民也就不再追究了。

归化城同知和章盖又征求巴特的意见，巴特认为两个人处理得很好，蒙汉民都满意地离开了。

案子断完，归化城已是万家灯火，大街小巷人群攒动，熙熙攘攘。巴特请归化城同知和那个章盖一起进了一家饭庄，三个人被让进包间，巴特点了几个菜，要了一壶酒，三个人推杯换盏喝了起来。

这时，楼下上来一主一仆两个女子，店小二迎上前："夫人，您来了。"

女主人瞥了店小二一眼："去，到楼上给我找个包间，要安静的。"

店小二赔着笑："夫人，不好意思，今天客人太多，包间都满了。要不，您在一楼大厅里凑合一下？"

女主人抬手就是一巴掌："混蛋！"

店小二捂着半边脸，又是点头，又是哈腰："对不起，对不起……"

使女劝女主人："小姐，要不我们回去吧？我下厨，给小姐做几道最爱吃的菜。"

女主人白了白眼睛："不行！本夫人今天就在这儿吃。"她对店小二一瞪眼，"说！楼上到底有没有包间？"

店小二连连点头："有有有……我这就去安排，我这就安排……"

店小二跑到楼上挨个包间看了一遍，恰巧巴特这个包间的隔壁吃完了。店小二麻利地收拾出来，把那一主一仆两个女人请了进去。

女主人还是不依不饶："不是没有包间吗？这怎么有了？我看你就是属驴的，不打不上套！"

店小二不敢回嘴，也不敢抬头。

女主人坐下之后也不看菜谱："还是老四样：鹌鹑眼睛鳜鱼肝，大雁舌头蜜蜂蛹。我可告诉你，蜜蜂蛹我要雪白的，上次的蜜蜂蛹都变了颜色，那是给人吃的吗？喂鸡还差不多！"

店小二道："夫人，实在对不起，您要的这些菜今天都卖完了……"

"啪"，店小二脸上又挨一记耳光："没有？我说有就有。去，把掌柜的给我叫来！"

店小二逃避瘟神似的跑了出去。片刻，掌柜的来了，他向女主人抱拳鞠躬。

女主人脸色阴沉："我要的四样菜有没有啊？"

掌柜的支吾道："夫人，您……您欠了一百二十多两银子，我们，我们赊不起呀！"

这位夫人一拍案子："一百多两银子算个屁呀！你知道我是谁吗？"

掌柜的连声道："知道，知道……可是，我们真的赊不起呀……"

女主人咆哮起来："你不想干了是不是？你就不怕我封了你的店吗？"

巴特这个包间的门虽然关着，可他听得清清楚楚，归化城同知和那个章盖偷眼看巴特。巴特站起来，又坐下；坐下，又站起来。

巴特推开门，向店小二招了招手，店小二跑来，巴特对店小二说："告诉你们掌柜的，那夫人的账我结了，包括以前的欠账。"

店小二答应一声到隔壁传话。有人为女主人结了账，女主人更加不可一世，她把掌柜的大骂一顿，掌柜的诺诺而退。

女主人的气消了些，她让使女到隔壁看看，谁这么大方为自己结了账。使女来到巴特的包间，巴特忙把脸扭到一边，可使女还是认出了巴特，她惊道："姑老爷？是姑老爷！小姐小姐，是姑老爷，姑老爷回来了！"

桐花又惊又喜，她几步来到巴特这个包间："夫君！你真回来了？你从科布多回来，连我面也没见就回沙尔沁省亲，我还以为你借省亲之名，跟那个狐狸精……”

巴特眼一瞪，桐花没有说下去。

巴特去科布多这两年来，虽然土默特左右两旗官无俸，兵无饷，但巴特的官俸地收益却不少。桐花打着副都统夫人的名义，用这些钱出高级饭店、入高级珠宝行、进高级绸缎庄，可谓挥霍无度，归化城从官府到买卖铺户，从商号到老百姓，没有不知道桐花的。

巴特菜也不吃了，酒也不喝了，他起身就走。桐花在后面叫：“夫君，夫君，我还没吃呢，我还没吃呢……”

巴特回到土默特右旗副都统衙门的后宅，桐花和桐雪一溜儿小跑，也跟了回来。巴特往炕上一躺，便打起了呼噜。

桐花走进屋中，她上炕要给巴特脱衣服，手刚碰到巴特，巴特一下子坐了起来，他瞪着红红的眼睛：“你要干什么？”

桐花一愣：“睡觉啊！我还能干什么？”

巴特口气强硬：“这是副都统衙门，你回以前的宅子睡去！”

桐花没吃着饭，本就憋着火：“你是我男人，我不跟你睡，难道让我跟别人睡吗？”

巴特手指桐花的鼻子：“我告诉你，从现在起，我就不是你男人了！”

桐花“噌”地站在炕上：“我是正黄旗满洲，当今一品大员的女儿，难道你还敢休我不成？”

巴特也站了起来：“我就是要休你！”

桐花质问：“你刚恢复副都统两天半就要休老婆？凭什么？我是泼米了？还是撒面了？做贼了？还是养汉了？”

巴特暗道，通智的女儿如此粗俗，还自称是一品大员的女儿，实在是没有脸皮！巴特两眼喷火：“你阿玛通智害我不成，又让你来害我，我和通智老贼势不两立。你滚，给我滚！”

桐花双手叉腰：“好啊，你竟敢诬陷我阿玛！我阿玛是堂堂一品。你诽谤朝廷命官，罪不容诛！我要告诉我阿玛，杀你全家！”

第二十章

真不知巴特的脑袋是怎么长的，还是副都统呢，水平也太低，就算用屁股也能想明白——如果真像巴特说的那样，通大人怎么可能把女儿嫁给他？怎么可能给他开公文？怎么可能给他拿盘缠？……

1735 年是雍正十三年，春回大地，野草开始复苏，冬眠的害虫蠢蠢欲动。没有雨水，路边的白杨树凭借体内饱满的水分吐出新芽。然而，没几天，叶子就被害虫啃得光秃秃的。为迎接钦差大人，军兵只得砍树。

归化城的街道打扫得干干净净，买卖店铺门前一尘不染。建威将军申慕德率领巴特等大小官员出城十里，迎接新上任的钦差大臣兼工部尚书。

钦差坐的是马拉的轿车，轿车两个木轮，青色的轿帘，上面是绿呢顶子，顶子四周镶着蓝色牙边，看上去不但不奢华，还有点土旧。轿车前，两人举旗开道，后边六人举旗相随。没有前呼，没有后拥，一行就这么几个人。

申慕德、巴特赶到，前面举旗的军兵向轿车里的钦差大人通禀。钦差吩咐停车。申慕德紧走几步来到轿车前。军兵撩起轿车帘，里面走出一个人。此人五十六七岁，头戴红缨帽，帽上镶着红宝石顶珠，顶珠下插着一支单眼花翎。上身着深蓝色的蟒袍，下衬江牙海水，脚上穿着一双半新不旧的朝靴。项挂朝珠，前后胸是仙鹤补子。

花翎就是孔雀翎，翎有单眼、双眼、三眼之分。眼就是孔雀尾巴末端如同眼睛一样的圈。眼越多，地位越高，三眼、双眼只有王公一类的大臣才能佩戴。

申慕德一看，这不是通智嘛！申慕德惊道："通大人！原来钦差大臣就是通大人！下官申慕德给大人请安。"

申慕德向通智一抱拳，通智抱拳还礼："申将军，我们是多年的好友，不必客气，不必客气。"

本来巴特准备向钦差大人状告通智，可万万没想到，这个钦差竟然是通智！通智当了钦差大臣、工部尚书，我的状告还是不告？告，我去哪儿告？不告，我这口气怎么咽得下！

归化城的官员一一上前叩见通智，人们都拜完了，只有巴特没动。

申慕德一拍巴特的肩："巴大人，怎么？老岳父通大人荣升为工部尚书、皇上的钦差，你高兴得都忘参拜了？"

巴特仍然没动，他看着通智，通智也看着他。通智正等巴特给他磕头，哪知巴特转过身，跳上马，"嗒嗒嗒……"扬长而去。

"巴特，巴特……"

通智连叫数声，巴特头也不回。

申慕德觉得没面子，通智也很尴尬。通智重新上车，申慕德把他接进建威将军衙署。

安顿完通智，申慕德越想越不对劲儿，巴特呀巴特，我是你的顶头上司，我让你拜通智你扭头就走，招呼也不打，当着归化城几十名官员的面，你置我于何地？

申慕德把巴特叫到大堂，他一脸不高兴："巴特，我们之间有过节吗？"

巴特给申慕德打了个千儿："将军待巴特如手足。"

见巴特态度谦恭，申慕德的气消了一些："那你今天是怎么了？"

巴特低着头："回将军，我心情不好，请将军原谅。"

申慕德训斥巴特："你是朝廷二品命官，不是轻狂少年！你心情再不好，也不该在那种场合流露出来吧？你可以不顾及我的面子，可通大人是钦差，是你岳父，你总得顾及一下他的感受吧？"

巴特猛地抬起头："他不是我岳父！他是国贼！是我的仇人！我要告他！"

申慕德吓了一跳，他压低声音道："你敢骂钦差是国贼，你不要命了？"

巴特把宝树的遭遇，自己背后的冷箭，以及通智把桐花嫁给自己，桐花三次气昏奶奶的经过详细地说了一遍。申慕德瞠目结舌，原来巴特不是对我，而是对通智！可是，状告钦差大人非同小可，就算巴特说的全是真的，可通智现在是皇上的钦差、工部尚书，位高权重，他能告赢吗？

申慕德劝道："巴特呀，这件事你对我说说就得了，不要再对任何人提起。"

巴特目光凝重："将军之言出于肺腑，巴特感激不尽。可巴特心意已决，我就是赔上性命，也要把通智老贼扳倒。将军，请给巴特办个公文，我要进京面见皇上告御状！"

清朝对蒙古民族的政策既优厚又苛刻，"建众以分其势"是最绝的一招。

清太祖努尔哈赤曾形象地把蒙古民族比为云，天上的云合则成雨，蒙古民族合则成兵。要想有云无雨，最好的办法就是把云吹散；要想清廷不受蒙古民族的威胁，就必须分化瓦解他们，让他们各自为政，互不往来，互不隶属。因此，有清一代，蒙古被划分为 277 个旗，其中，7 个喇嘛旗，72 个内属旗，198 个札萨克旗。内属旗不设札萨克，或设总管，或设都统，比如土默特左右两旗，而且，总管和都统取消世袭。以 1890 年为例，当时蒙古地区人口约 160 万。按此计算，平均每个旗不到 5800 人，这仅仅相当于现在的一个大村子。

198 个札萨克旗，又分为 19 个盟。盟不是一级政府，也没有行政职能，无权对各旗发号施令，其职能仅仅是清查人口和牲畜。各旗直接归中央下派的各地将军管辖，各地将军几乎都是满人。旗与旗之间不能越旗游牧、耕种、往来、婚嫁，同一个盟的王公贵族只有三年一次的会盟才能见面。内属旗连会盟也没有。实际上就是画地为牢，把蒙古各部圈起来，每个旗都成了一个封闭的世界。

清政府还规定，蒙古各级官吏不得随意进京，如确需进京，必须有当地将军的批文，按朝廷的指定路线行走，绕路拐弯都不行。

土默特左右两旗官员进京的批文由建威将军签发，没有建威将军的"通行证"，就算出了土默特右旗，沿途各卡伦都不放行。卡伦不是驿站，驿站是供来往送公文的差人、官员中途换马或暂住的地方。而卡伦是哨卡，主要任务是巡逻、放哨、传递情报。清朝全国各交通要道都设有卡伦。

申慕德不给巴特签发公文，他再三劝阻巴特，巴特摇头而去。

晚上，申慕德专门为通智安排了一桌丰盛的酒宴。通智往桌上一看，什么山中走兽云中雁，陆地牛羊海底鲜，猴头燕窝鲨鱼翅，熊掌干贝鹿尾尖，应有尽有。

看着桌上的美味，通智没吃："申将军，归化城还不富裕，这么多菜是不是太奢侈了？"

申慕德反应还挺快："大人别介意，这顿饭是下官自掏腰包。归化城是不富裕，可是大人千里迢迢从京师重地来到归化城，下官怎么也要表示一下心意啊！"

申慕德的话明显是谎言，大清全天下的官员也没有一个自己掏腰包请人吃饭的，尤其是请钦差大人。

通智一笑："申将军如此盛情，通某感激不尽。我看这一大桌子菜，我们两人也吃不了，要不，把将军衙署的差人叫来，大家一块热闹热闹。"

申慕德有点纳闷，心说，通智以前不这样啊，怎么几年不见，变得这般亲民？

众衙役听说要和钦差大人一起吃饭，他们想都不敢想，一个个受宠若惊。虽然他们坐在席间，可是，筷子不敢动，酒不敢喝。通智却谈笑风生，一会儿给这个斟酒，一会儿给那个布菜，这些军兵感动得眼泪都下来了。

申慕德在将军衙署腾出几间最好的屋子，作为通智下榻的公馆。通智走进房间，说太奢华了。通智提起了桐花，他说，这么多年，由于公务繁忙，只来看过女儿一次，就连信也很少给桐花写。得知桐花没住在土默特右旗副都统衙门，通智更想去看看她。

申慕德要派人护送，通智婉言谢绝，他只要一个军兵带路。

桐花住的宅子也不算小，进门后，一面照壁立在面前。绕过照壁，对面是五间正房，东西各三间厢房。

这几天桐花越想越恨，越恨越咬牙。晚饭她也没吃，拿着鸡毛掸子，狠狠地揪着，脚下一地鸡毛。

桐雪跑了进来："小姐小姐，老爷来了。"

桐花以为是巴特回来了，她脸上一喜，但瞬间即逝，没好气地说："滚，让他滚！"

桐雪忙解释说："是老爷，不是姑老爷。"

通智已经到了门前，他清了清嗓子："女儿，让谁滚哪？"

桐花听出是通智的声音，她连鞋也没顾上穿，光着脚就跑了出去。

桐花一头扎进通智怀里，放声大哭："阿玛呀，你可来了，你再不来我就要被那个天杀的给欺负死了，阿玛……"

通智抚摸着桐花的头："巴特怎么欺负你了？"

桐花把巴特要告通智的事原原本本地告诉给通智，通智脸色骤变，桐花问："阿玛，你到底向他放冷箭了没有？"

通智阴沉着脸："胡说！我与他无仇无怨，为什么向他放冷箭？再说，如果我向他放冷箭，能把你嫁给他吗？"

桐花破涕为笑："这我就放心了，让他告去，他想休我，我还不跟他过了呢！"

第二天，通智身着青衣小帽，出了桐花的宅子。他只身一人，或是到烧卖馆与百姓聊天，或是到米市问粮价，甚至还到普通老百姓家询问官府的作风。当时的归化城周长仅二里，只有南北两个门。城内的老百姓相互之间基本都认识，忽然发现一个陌生人，人们就聚在一起打听，当得知跟他们在一起拉家常的就是钦差大人时，一个个惊得目瞪口呆。老百姓只在戏文里听说当官的微服私访，可从来没见过哪个官员深入民间。于是，有冤情的老百姓纷纷向通智申诉。通智对一些官员该查的查，该办的办，这下归化城街头巷尾可就传开了，都说通智如何如何平易近人，如何如何体恤下情，如何如何为民做主，如何如何清廉如水。人们越传越神，甚至有人说通智是包青天再世。

这天，建威将军衙署之中，文武官员分列两旁。通智居中而坐，申慕德在旁边搭了个偏座。

通智高声道："二次科布多之战，不但没能使准噶尔屈服，而且外蒙古腹地也遭受威胁。皇上圣明，归化城南通内地，北接外蒙古，西连宁夏、准噶尔，战略位置十分重要。可是，归化城城小人稀，如果西北战事再起，归化城中粮草远不能满足前敌需求。皇上决定在归化城东北再建一座新城，积草囤粮，以备不测之需。通某不才，皇上把这件事交给了本钦差。希望归化城各级官吏恪尽职守，同心协力，早日把新城建起来。"

通智做了一个简短的动员，申慕德分派任务，有负责石料的，有负责采伐木材的，有负责召集民工的，有负责后勤管吃喝拉撒的……

散会之后，人们往外走，通智把巴特叫住了："巴特，你先等一下。"

巴特轻蔑地看了通智一眼，停下脚步。

通智很是和气："你是我的女婿，一个姑爷半个儿。以前，岳父对你照顾不周，你被罢官之后，岳父没能使你官复一品，可你并不知道，你当初的一品，就是岳父向皇上进的美言。有人不怀好意，挑拨我们翁婿之间的关系，你已经三十多岁了，岳父相信，你会分清是非曲直。还有，桐花从小任性，是我把她娇惯坏了。岳父知道，她对不起你，这几天，我把她骂哭好几次，她也十分后悔，以后她一定会好好服侍你，照顾你。常言道：百年修得同船渡，千年修得共枕眠。你们是十几年的夫妻，还是有感情的，听岳父的话，和桐花和好吧。"

通智叹了口气，又说："也难怪，桐花到现在也没给你生个孩子，这样吧，岳父给她找个郎中看看，如果是桐花的毛病，岳父替桐花做主，给你娶一房侧室。"

巴特嘲讽道："你对我很关心嘛！"

通智僵硬地笑了笑："那是当然，你毕竟是我的女婿……"

巴特的脸如冰一般："你不是怕我告你吧？"

通智的脸顿时铁青："你胡说什么？"

巴特的血一下子涌到头顶："你贪占部下军功，逼反宝树；为自己升迁，战场上向我放冷箭。你这种人留在朝中只会使更多人受害，使国家遭受更大损失。我要告你，我一定把你告倒！"

申慕德就在旁边，他目瞪口呆。

通智哈哈大笑："哈哈哈哈……你去哪儿告我？"

巴特气哼哼地说："我要进京城，到皇上那儿告你！"

通智点点头，又踱了几步，他的脸恢复了平静，长叹一声："唉！好吧，我说什么你也听不进去，我也不做更多的解释。当今皇上是有道明君，他会主持公道的。你去告吧，没有路费我给你拿，没有进京的公文我给你办，这样也能还我一个清白，还你一个明白，以使我们翁婿重归旧好。"

巴特追问一句："你说话算数？"

通智郑重地说："申将军作证，通某一言九鼎！"

申慕德没想到通智说得如此干脆，通智太大度了，这样的人不是正人君子，天底下还有正人君子吗？申慕德未置可否，劝巴特不要鲁莽，劝通智不要赌气。

巴特哪里听得进去，他反倒将了通智一军："你敢让申将军给我办进京公文吗？"

通智一拍胸脯："通某光明磊落，有何不敢？"

通智转过脸对申慕德道："申将军，巴特对我的误解太深了，请你给他出个公文，让他进京。这个扣儿不解开，我也是寝食难安哪！"

在通智的一再要求下，申慕德给巴特开具了公文。

巴特接过公文，叠了几叠，可又心中狐疑，前些日子，我请申将军给我开公文，他死活不肯，今天的公文却这么容易。巴特有点不敢相信，会不会是通智串通了申慕德？他们可都是满洲人。巴特把公文打开，上面是满族和蒙古族两种文字，大意是：土默特右旗正二品副都统巴特赴京，请沿路各卡伦放行。下面盖着建威将军的大印。巴特连看三遍，也没发现公文有什么问题。巴特再次把公文叠好，小心地放入怀中，往外就走。

"等一等。"通智叫住巴特。

巴特回过头："怎么，你反悔了？"

通智没有回答，而是对手下人道："来人，取二百两银子。"

有人捧过银子，通智对巴特说："我刚才说了，没有路费我给你拿，没有进京的公文我给你办。通智言必信，诺必诚，行必果，说话算话。这点银子不多，就算是岳父给你的盘缠吧。在其位，谋其事。你是土默特右旗副都统，临行前，先把衙门里的事都安排好。你进京之后，早点把事情弄清楚，岳父等你回来，桐花也等着和你早日团圆……"

巴特冷笑一声，他看也不看通智的银子，"腾腾腾"迈大步出了衙门。

巴特前脚走，后脚人们就议论开了——

"天下间哪有这种人，连自己的老丈人都告，这不是远近不分、六亲不认嘛！"

"就是，你看通大人多好，多和气，怎么可能暗箭伤人？"

"真不知巴特的脑袋是怎么长的，还是副都统呢，水平也太低，就算用屁股也能想明白——如果真像巴特说的那样，通大人怎么可能把女儿嫁给他？怎么可能给他开公文？怎么可能给他拿盘缠？……"

巴特回到沙尔沁，穿过章盖衙门，刚一进院，迎面正遇上巴拉。

巴拉见巴特一个随从也没带，很是纳闷。

巴特掩饰不住内心的激动："大哥，通智的死期到了！"

巴拉惊诧："你说什么？"

巴特不禁抬头看了看上房奶奶的房间。上房的窗户开着，太夫人和哈珠都在看巴特，巴特改口道："我回来看看奶奶，再到包头召家庙给佛祖和祖先上几炷香。"

虽然太夫人年过七旬，但耳不聋，眼不花，巴特的话她都听见了。太夫人把巴特叫进屋，巴拉也跟了进来。老人询问巴特，巴特不想让奶奶担心，他支支吾吾。巴特越是不说，太夫人越问，巴特只得把进京告御状的事如实相告。

巴特望着太夫人，奶奶会是什么反应呢？

第二十一章

　　桐雪的话令巴拉倍感温暖，一个念头在巴拉脑海中一闪，多么贤惠的女人，唉，要是桐雪是桐花那该多好。

太夫人沉默不言，手中不停地捻着佛珠，一旁的哈珠呆若木鸡。

巴拉的心悬了起来，通智是正黄旗满洲，是八旗中地位最高的一旗。不但如此，他还是工部尚书、钦差大臣。巴家是什么？名义上是蒙古贵族，实际上朝廷从来就没有信任过巴家。在蒙古贵族中，有被封为亲王的，有被封为郡王的，与皇家关系远一些的也被封为闲散王公，只有巴家，不但没有封王封公，还把世袭都统也免了，成了世袭章盖。巴特好不容易升到都统，可一天没坐，就被削职。如果不是科布多再次发生战争，巴特想官复副都统都不可能。巴特无凭无据就要去京城告御状，这不是拿鸡蛋往石头上碰嘛！

巴特不服："大哥，通智外表仁厚，内藏奸诈，这种人多活一日，国家多一天危害，我一定要扳倒这个奸贼。"

巴拉训斥："老三哪，你怎么往牛角尖里钻？天下就你一个人爱国，别人都不爱国？你太天真了！就算他危害大清国，大清国是你家还是咱们家的？那是皇上的！皇上都不追究，你算什么？你太自不量力了！"

巴特反驳："通智向我放冷箭，把宝树的军功和我的军功都记在了他的头上……"

巴拉怒道："就算通智向你放冷箭，你不是还好好地活着吗？就算他贪了你的军功，你不是还当着副都统吗？你已经被罢了一次官，难道还要二次被革职你才能安心吗？"

巴特心如铁石："这个副都统我宁可不要，也要把通智扳倒！"

巴拉又气又急："通智在朝中红得发紫，拼了你的副都统就能扳倒他吗？你这不是异想天开吗？老三，奶奶都七十多岁了，你就不能让她老人家安度晚年吗？你就让巴家所有人都为你提心吊胆吗？我告诉你老三，你趁早给我打消这种念头，我绝不允许你去告什么御状！"

太夫人大口大口地抽烟，哈珠一袋一袋地给太夫人装烟。尽管窗户开着，屋里还是烟雾弥漫。巴拉和巴特兄弟你一句，我一句，各说各的理。

巴特勉强控制着情绪："大哥，我想告通智不是一天了，而是十几年了。如果当初不是你逼着我娶他的女儿桐花，没准通智早就被绳之以法了。大哥，以前我都听你的，这次对不起，我的心就像山一样，不会动摇！"

一提桐花，巴拉无话可说了。当年在科布多，通智提出把桐花嫁给巴特，巴特不同意，是巴拉强行做主，桐花才进了巴家的门。桐花到巴家之后，把巴家搅得鸡犬不宁，不但如此，巴特到现在连个孩子也没有。为此，巴拉常怀愧疚。

太夫人"当当当"磕了磕烟袋，语重心长地对巴特说："孙儿呀，如果你认定通智是个大奸人，那就要告，不能让这种奸人逍遥法外。这种人官当得越大，受害的人就越多，国家损失就越重。身为大清子民，为国除奸，为民除害，那才是男儿本色。你去吧，奶奶支持你。"

巴拉仿佛不认识奶奶一般，奶奶平时那么慈祥，那么宽容，为什么要支持巴特告通智？通智就是再奸再恶，上面有皇上，巴特不但管不了，弄不好还会碰得头破血流，甚至把命赔上。

太夫人礼佛敬佛一辈子，在老人心中，佛最讲宽容，但是，佛也设了地狱，让那些恶鬼永世不得超生。佛甚至还把恶鬼的皮剥下来钉在门上，以警示那些做坏事的人。这说明宽容也是分善恶的。不分好坏、不分善恶的宽容，那就是放纵罪恶，佛也不会答应。

巴特"梆梆梆"给奶奶磕头："奶奶，您真是我的好奶奶！"

祖孙三人正说着，仆人来报，通智来了。通智远在归化城，他突然而至，要干什么？是杀人灭口？还是阻止巴特进京？抑或是威胁巴家？

巴拉不知如何是好，巴特怒目横眉，哈珠手足无措，太夫人却稳稳地坐在炕上，老人想，通智还是钦差大臣，代表的是皇上；巴特还没给桐花休书，通智还是巴特的岳父。在礼数上不能少，太夫人让巴拉、巴特去迎接通智。

巴拉和巴特两个人来到外面，果然，通智带着随从站在章盖衙门门前。

巴拉撩衣跪在通智面前："下官巴拉叩见钦差大人。"

巴特却站在地上，一言不发。

巴拉拽巴特的衣襟，让他跪下，可巴特两眼如同利剑，寒光闪烁，立而不跪。

通智见巴特没下跪的意思，他笑着把巴拉搀了起来，他说他想看看太夫人。巴拉在前面带路，通智走在中间，巴特跟在后面。来到上房，通智深深地给太夫人作了个揖："老婶子，通智看你来了。"

太夫人礼节性地笑了笑，她手里捻着佛珠："老太太哪敢劳钦差大人的大驾，大人请坐。"

通智坐在炕沿边，离太夫人近在咫尺："老婶子，通智今天来有两层意思：一是看望老婶子，二是为巴特送行。本来我给老人家备了一点薄礼，但外面都传遍了，说巴特要进京城告我，我是怕人说我贿赂老婶子，阻止巴特进京，所以才空手而来。老婶子，你不会挑我礼吧？"

太夫人道："不会，不会，通大人能想开就好。"

通智一笑："我想得开，想得开。巴特进京告御状，请皇上圣裁，还我一个公道，解开我们翁婿之间的误会，我求之不得。我是觉得有点愧疚，愧不在巴特，他的提拔和重用，我都操碎了心，想了很多办法，在皇上面前说了很多好话。我愧在桐花呀！桐花到了巴家没生一男半女。不孝有三，无后为大。我跟巴特说过，给桐花找个喇嘛或郎中看看，如果是桐花的毛病，我做主，给巴特纳一房侧室。"

通智这般坦诚，大大出乎巴家人的意料。太夫人经多识广，阅人无数，马上警觉起来：通智城府太深了，心机像雾一样难以琢磨，对这种人，不能用常人的思维来推测。看来，巴特眼前这个对手很难对付。太夫人不禁为巴特担心。

巴特没有丝毫动摇，他认为，这正是通智奸诈之处，告御状的决心更坚定了。

通智走后，巴特到包头召家庙拜佛祭祖，又看了义子哈森，看了二哥道尔吉喇嘛，第二天就赶往京城。

有了建威将军的公文，沿途没费什么周折，巴特顺利到达京城。

人们都知道朝廷有吏、户、礼、兵、刑、工六个部，但与六部同一规格的理藩院却很少有人知道。理藩院是清朝专门管理蒙古及各少数民族事务的衙门，其下设有旗籍、王会、典属、柔远、徕运和理刑六个司，有点像今天的国家民族事务委员会。

蒙古人打官司告状要到理刑司，巴特把状子递上去，请求觐见天子。满族和蒙古族之间的关系，是清朝最为重要的民族关系。理刑司郎中把状子呈送给理藩院尚书，理藩院尚书又把状子呈送给雍正皇帝。

太监把巴特带到养心殿，巴特向雍正皇帝行了三叩九拜大礼。雍正见巴特头戴红缨帽，上镶红珊瑚顶子，项挂朝珠，身着蟒袍，前后胸绣的是雄狮补子，脚下是一双崭新的朝靴。当年，在归化城校军场，巴特曾为雍正表演箭法和骑术，雍正对巴特印象很深。

雍正脸色平和："巴爱卿，听说你要状告通智？"

巴特有点紧张，他稳了稳神，把当年在科布多劫粮的事从头到尾讲了一遍，然后道："皇上，通智大奸若仁，大恶若善，这种奸诈恶徒留在朝中，对国家和社会的危害实在太大了，微臣请皇上严查通智，以正国法。"

雍正未置可否："通智向你放冷箭，可有证据？"

巴特一指后背："回皇上，微臣后心上的箭伤就是证据。"

雍正一皱眉："身为大将，征战四方，哪个身上没伤？怎么就能认定是通智所射？"

"回皇上，当时微臣把准噶尔押粮队伍杀得溃不成军，敌军自顾不暇，根本不可能绕到微臣的背后放箭，而通智恰恰是从微臣的后面杀出。不久前，微臣的安答宝树也证实了微臣的判断。"

"宝树是何人？"

"宝树也是通智的受害者。当年他与微臣同在军中效力，微臣深入敌后劫粮，就是要劝宝树安答重新回到朝廷这边，可宝树忌惮通智，没有听……"

雍正摆了摆手："等一等，你是说宝树投降了准噶尔？"

"……是，皇上。宝树遭通智排挤，通智不但贪占其功，还打他四十军棍，逼他出战……"

雍正又打断巴特的话，目光中透出一股寒气："你是怎么见到宝树的？"

在中国的历史上，战将被俘是件极不光彩的事，巴特本不想说自己被俘，可又一想，自己忠心报国，没做什么对不起国家的事。巴特就把二次科布多战争的经过详细地奏明了雍正。

巴特磕头道："微臣被俘之后，不顾伤痛，夺了噶尔丹策零的汗血宝马，射死敌兵，逃出虎口，还救了傅尔丹将军。"

雍正皇帝勃然大怒："什么抢了噶尔丹策零的汗血宝马，射死敌兵？谁能证明这不是噶尔丹策零设的圈套？谁能证明这不是反奸计？你身为二品武官，竟连这小小阴谋都看不出来，你何以领兵？何以为将？"

"这，皇上……"

"朕问你，傅尔丹手下那么多大将战死，为什么你能活着？那么多将士杀身成仁，为什么你能逃出来？"

"皇上，微臣也想杀身成仁，可是，微臣更想为国除奸，为民除害，戳穿通智的假面具……"

"住口！疑人不用，用人不疑。通智是朕的钦差，是我大清的工部尚书，是太子太保。而你为敌所俘，受敌蛊惑，无中生有，诬陷忠良。来人！摘去他的顶戴，剥去他的官服，打进木笼，装入囚车，押赴归化城，交给通大人处治！"

树叶飘落，天地茫茫，北风呼啸，雨雪交加。巴特坐在囚车里，雨打湿了他的衣裳，雪在他身上结成了冰。寒气侵入心底，仿佛有无数把锥子在扎他的骨头。往事一幕幕出现在眼前，通智、桐花、申慕德、雍正……宝树、大哥、奶奶、哈珠……科布多、博克托岭、沙尔沁、归化城……巴特的脸在发热，头在发热，心在发热，继而，血在奔涌，在冲撞，在搏击……

从京城到归化城沿途千余里，囚车走了一个多月。有人报给建威将军申慕德，申慕德禀明通智。通智走出衙署，他让军兵打开木笼。由于在囚车中时间太长，加之天气寒冷，巴特腿脚不听使唤，军兵把他架进大堂。

通智亲手给巴特倒了一杯热水，巴特既不喝水，也不说话。

通智叹了一口气：“唉！巴特呀，皇上把你交给我，这可给我出了个大难题，我要是就这么把你放了，皇上那儿我不好交代。可我不放你，你又是我的女婿，我于心何忍哪。申将军，你说这事可怎么办？”

申慕德道：“下官不敢多言。”

巴特倔强地对通智说：“你不用为难，押我进监狱！”

通智无可奈何：“年轻人锋芒毕露，遭受这么大打击，嘴还这么硬，先磨一磨你的锋芒也不是坏事。那就先把你送进大牢，我会叫人好生服侍你的。”

自从巴特进京告御状，太夫人就常常让哈珠陪她到章盖衙门外，老人每天向东张望，期盼巴特赢了官司，早日归来。哈珠宽慰老人，说巴家世代敬佛，积德行善，佛祖一定会保佑巴特平安归来。可一连数月，也没见巴特的影子。老人每天早中晚三次跪在佛龛前，捻着佛珠，默默祷告。

冬天的草原，天黑得很早，沙尔沁被笼罩在夜幕之中。巴拉头戴瓜皮小帽，身着坎肩，他斜卧在炕上，胳膊肘倚着棉被，跳动的烛火映在脸上。

巴拉对妻子锡兰说：“老三就像被蒙住眼睛的山羊，到处瞎撞，谁劝也不听，现在可好，没把通智告倒，自己却丢官罢职，还被下了大狱。”

锡兰焦虑地说：“奶奶知道不？”

“奶奶那么大岁数，我哪敢告诉她。”

"马上就要过年了，得赶快想个办法把老三弄出来。不然，奶奶这个年可怎么过啊！"

巴拉思索再三，巴特和桐花毕竟是夫妻，要是她能向通智求情，老三也许会被放出来。锡兰知道丈夫想给桐花送礼，可是，桐花贪念极重，礼少了根本打动不了她的心。于是，锡兰变卖家中的财产，装了三箱子重礼，交给巴拉。

巴拉带上两个随从，赶着马车，拉着重礼，到归化城来找桐花。自从桐花被巴特逐出副都统衙门，她和桐雪就住进了分家时买的那所宅子。通智白天到建威将军衙署办公，晚上也住在这里。这所宅子就成了通智的公馆，军兵日夜站岗。

望见这所宅子，巴拉远远地下了车，他来到门前，向两个军兵报了自己的名字，提出要见桐花。

两个军兵的眼睛立刻瞪了起来："你就是那个忘恩负义、以怨报德的状告通大人的巴特哥哥？去去去，这是钦差大人下榻的地方，离远点！"

巴拉的脸像被板子打了似的，火烧火燎地难受。也难怪两个门军发火，通智到归化城虽然只有半年，可口碑极佳。而巴特自从告了通智，他从前的威信荡然无存，上至官员，下至百姓，一提到巴特，无人不骂他狼心狗肺。

没有太阳，天又干又冷，一阵风吹来，巴拉打了个寒战，他把衣服紧紧地裹在身上。巴拉由自己想到巴特，我穿这么多还冷，狱中的三弟不知会被冻成什么样子，我不能走，我一定要见到桐花，无论如何我也要把老三救出来。

风越来越大，雪花飘落下来。巴拉什么好听说什么，可门军就是不让进。

使女桐雪走了出来："小姐在睡觉，你们吵什么……"桐雪一眼看见了巴拉："章盖少爷！你什么时候来的？这大冷的天，快快快，进屋暖和暖和。"

桐雪把巴拉领进院，巴拉的随从把三个大箱子也抬了进来。

桐雪把巴拉带进西厢房，巴拉坐下，桐雪给巴拉倒了一碗热茶。

巴拉以前没注意桐雪，现在不禁仔细打量她。见桐雪瓜子脸，尖下巴，双眉修长，双目如水，肤色微黑，体态端庄，既没有桐花那般娇媚，也没有桐花那般纤细的身姿，但朴实无华。

巴拉说明来意，桐雪很是谦和，她马上回上房禀报桐花。

桐雪不一会儿就回来了："章盖少爷，小姐已经醒了，正在梳妆，您再等一下。"

巴拉很是感动。

桐雪又回了上房。大约半个时辰，桐雪终于从上房出来了，她道："章盖少爷，小姐请您进去。"

桐雪拉开上房的门，一股浓重的脂粉味迎面扑来。桐花背对巴拉，斜倚在梳妆台前，旁边放着一个炭火盆，桐花头也不回。

巴拉叫随从把三个箱子抬进屋，桐花从镜里看了一眼三个箱子。

桐花也没让巴拉坐，她一边拔着眉毛一边说："找我啥事？"

巴拉给桐花打了个千儿。打千儿是晚辈对长辈的礼数，桐雪有点着急："章盖少爷，这可使不得，使不得！"

桐花无动于衷，她心安理得地接受了。

巴拉打开箱子，一箱是金子，两箱是珠宝，巴拉道："家里人给你带的一点东西，你收着吧。"

桐花这才转过头，她眼睛盯着箱子："为啥给我送东西？"

巴拉赔着笑："三少奶奶……"

桐花白了巴拉一眼，怪声怪调地说："我已经不是你们家三少奶奶了，你那好兄弟把我休了。"

巴拉忙说："没有没有，巴特说的是气话，三少奶奶大人不记小人过，千万别跟他一般见识……"

桐花再次打断巴拉："你就说什么事吧？"

巴拉低声下气地说明了来意，桐花眼睛往上看："哼！他状告钦差大人，我可管不了！"

巴拉好话说尽，就差给桐花磕头了，可桐花就是不答应，一旁的桐雪看不下去了，她道："小姐，一日夫妻百日恩，姑老爷千不对，万不对，他也是姑老爷呀，你大人有大量，就给姑老爷一次机会吧。"

　　桐雪的话令巴拉倍感温暖，一个念头在巴拉脑海中一闪，多么贤惠的女人，唉，要是桐雪是桐花那该多好。

第二十二章

太夫人认为，巴特和哈珠一定是忌惮桐花。桐花本来就不把巴家人放在眼里，现在她阿玛又是钦差大臣、工部尚书，而且巴特又告了通智，此时说出实情，的确不是时候。

在桐雪的劝说下，桐花总算勉强答应了。

巴拉仅在归化城住了三天，桐雪就来送信，告诉巴拉到监狱去接巴特。

通智带着建威将军衙署的大小官吏来到狱中，他叫人打开牢门，放走巴特。见巴特衣着整洁，只是脸色有点发暗，一看就知道，巴特在狱中没受什么罪。通智一边嘘寒，一边问暖。在场的人们无不感慨，诬陷钦差大臣本是罪不可恕，可人家通大人大人有大量，宰相肚里能撑船，丝毫也没有难为巴特。巴特有这么好的岳父，却身在福中不知福。

巴特连正眼也没看通智，一句话也没说，转身就走。

巴拉紧走几步跪在通智脚下："大人，我三弟性情愚钝，是非不分，事理不明，冲撞了大人，还请大人看在桐花的分上，宽恕他。"

通智一笑："巴大人，请起，请起，咱们都是一家人，一家人不说两家话。"

巴拉和巴特上车，两个人还没离开，建威将军衙署的大小官吏就骂开了——

"巴特怎么变得如此没人情味儿，通大人这么对他，他居然连一声谢都不说。"

"这种人连自己的老丈人都不放在眼里，算什么东西！"

"这小子上辈子肯定是一条狼，而且是一条白眼狼……"

回到沙尔沁，巴特来到上房给太夫人请安。老人想到了巴特告状不顺利，也想到了巴特会被罢官，甚至被下狱，但太夫人没有想到通智会亲自把巴特放出来。

太夫人沉吟半晌才说："你进京告通智，他又给你开公文，又给你拿盘缠；你丢官罢职，他不但不加害你，还把你放出大狱。这样的人有两种可能，一种是大奸，另一种是大善。"

巴特十分赞赏："奶奶，你说得太对了！通智就是您说的那种大奸，我还要告他。"

巴拉的脸顿时沉了下来："老三，御状都告了，你还要上哪儿告？"

巴特既无奈又惋惜："这次我告通智是因为证据不足。只可惜宝树安答降了准噶尔，如果他能重新回到大清，我们两个一起去告通智，一定能扳倒通智。"

巴拉火了："你这是异想天开！马尔滚降了准噶尔，几百人受到连累，难道你不知道吗？当今皇上最恨的就是叛国投敌，如果宝树回来，那就是自投罗网！就算他有十颗脑袋，也不够砍！"

哈珠眼中闪出异样的光芒，她几次张嘴想说话，却都没说出来。

太夫人发觉哈珠的表情，便问："哈珠，这事你怎么看？"

哈珠呆呆地望着巴特，答非所问："宝树，宝树……他当年不是被都统少爷杀了吗？"

巴特摇了摇头，他把两次科布多战争的事详细地告诉哈珠，哈珠如同听天书一般，她呼吸急促，胸脯起伏。

一旁的锡兰也劝巴特："三弟呀，不管通智是大奸还是大善，自有朝廷处理。天网恢恢，疏而不漏。听你大哥一句话，你可不能再犯傻了。"

太夫人手捻佛珠："佛说：种善因，得善果。告通智的事以后再说吧。

既然巴特逃过这一劫，全家好好庆贺一下。哈珠，你去告诉厨房，做一顿丰盛的宴席。"

哈珠刚要走，锡兰拦住哈珠，僵硬地笑了笑："奶奶，老三刚刚出来，一路辛苦了，要不，过两天再庆祝吧？"

太夫人执意地说："巴特出狱，这是给他接风洗尘，去一身的晦气，怎么能过两天呢？就今天吧。"

太夫人哪里知道，为救巴特出狱，锡兰把家里所有的积蓄都拿了出去，现在，就连办年货的钱都没有了。太夫人一脸茫然，就算不为巴特庆祝，这马上就要过年了，家里人不能不买新衣服，不能没有酒肉啊，怎么办呢，要么卖几匹马……

太夫人正想着，外面传来一阵杂乱的声音。透过窗户一看，见李大裤衩子、王老五等十几个汉人站在院中。他们有拎酒的，有拎油的，有提鸡鸭的，有提鱼肉的，还有扛米面的，义子哈森也在后面。

巴特莫名其妙，他刚出上房，哈森像只蝙蝠一般扑到巴特怀里："阿爸！我爹他们听说你平安出狱，特意来为你庆贺。"

李大裤衩子笑道："都统老爷，我们拿点年货，给太夫人拜个早年，给巴家拜个早年。"

王老五憨憨地说："巴家是大户，什么也不缺，大伙也不知道该拿点啥。反正，反正就这点心意吧。"

巴特把众人让进客厅，他对众人道："李大哥、王五哥，我现在不是都统了，你们就叫我巴特吧。你们的心意我都领了，但东西不能收。"

李大裤衩子倔强地说："你不是朝廷的都统，是我们心中的都统。我们汉人有句话：受人滴水之恩，当以涌泉相报。走西口之前，我穷得连条合身的裤子都穿不上，无论三九还是三伏，只能穿条大破裤衩子。走西口之后，都统老爷和章盖老爷不怕丢官罢职，把地白给我种，我们一家才活了过来。这些乡亲，哪个不是西口逃荒来的？要不是都统老爷和章盖老爷收留我们，我们早就饿死了。这几年，年年丰收，我们的余粮三年都吃不完。听说都统老爷从狱中出来，大伙一商量就来了。都统老爷，东西也不多，你就收下吧。"

众人一一附和。

巴特的眼泪都要下来了，这些走西口汉人的日子只能勉强温饱，他们平时舍不得吃，把好东西都送到巴家来了，收他们的东西于心何忍哪？

这时，哈珠走了进来。李大裤衩子想，哈珠服侍太夫人十几年，太夫人对她如同亲人一般，要是哈珠到上房跟太夫人说说，太夫人答应了，巴特也就无话可说了。王老五与众人也央求哈珠，哈珠见众汉人言辞恳切，她点点头："那我就去试试。"

哈森也说："我也去。"

哈森随哈珠进了上房，哈森先开了口："老奶奶，我爹他们十几户送来点年货，我阿爸也不收，老奶奶，您老人家说句话，收下吧。"

哈森按汉人习惯把李大裤衩子叫爹，按蒙古人习惯称巴特为阿爸。

哈珠也说："是啊，太夫人，太夫人要是不收，就冷了大伙的心。"

太夫人从炕上下来，哈珠、哈森左右搀着老人，三个人来到前厅。李大裤衩子和王老五等人你一言，我一语，无论如何也要请太夫人收下。

太夫人动情地说："行！我老太太做主了，这些东西都收下。"

众人喜笑颜开。

太夫人又道："虽然这些东西我老太太收下了，不过，有个条件。"

怎么？老太太还有条件？众人面面相觑。

太夫人郑重地说："你们都留下，在巴家一起吃顿饭。"

巴特连声道："对对对，都留下，都留下，谁也不能走。"

李大裤衩子和王老五等人呆了，自大清建立，蒙汉分治，蒙古人和汉人很少接触。雍正以来，允许汉人到草原上开荒，蒙汉两族往来渐多，但蒙汉分治政策没有改变。巴家是名门望族，而他们是逃荒到草原、借巴家牧场生存的庄稼汉，地位相差太大了，跟巴家人一起吃饭，他们想都没敢想。

太夫人见众人发愣，她又说："怎么？你们不愿意？你们要是不愿意，这些东西老太太我可就不收了。"

见老人确实出于挚诚，众汉人欢天喜地。

哈森更是乐得手舞足蹈："太好了！太好了！"

仆人把这些吃的、喝的送到厨房，人们在前厅说说笑笑，品着奶茶，聊着家常。

天湛蓝湛蓝的，仿佛从水里洗过一样洁净。没有一片云，阳光透过窗户洒进客厅，让人倍感温暖。

酒宴摆上，太夫人、巴拉、巴特及巴家众人坐在汉人中间，太夫人让哈森坐在自己身边，锡兰等女眷按辈分坐在太夫人两侧，哈珠等仆人坐在一桌。蒙汉同席，大家推杯换盏，其乐融融。

太夫人问李大裤衩子："他老李大哥，你明年准备种点啥呀？"

李大裤衩子已经把承租巴家的土地转租给了王老五。这几年包头大丰收，粮食多，卖不上价，可买卖、商号却兴隆起来。包头有个旅蒙驼队，东家姓智，智东家见李大裤衩子为人厚道，干活肯出力气，还能说几句蒙古语，就请他当伙计，打算过完年就赶骆驼到大库伦和恰克图贩茶叶和粮食。

恰克图在蒙古国正北方与俄罗斯交界，当时归属大清帝国。

太夫人望着李大裤衩子："他老李大哥，到大库伦、恰克图做买卖，你这大号可得改一改，不能叫什么李大裤衩子了。"

"哈哈哈……"

桌上笑成一片，锡兰和哈珠都忍不住捂上了嘴，哈森不好意思地低下了头。

李大裤衩子脸一红："那叫啥，我也没念过书，也不知道该叫个啥。要不，请太夫人给起个名字吧？"

太夫人想了想，蒙古男人通常叫巴雅尔，大喜；巴图，坚强；宝音，富有；布和，结实；恩和，平安……女的通常叫其其格，鲜花；乌兰，红色；高娃，美丽；图娅，彩霞……汉人的名字还真没起过。

太夫人的目光落到哈森脸上，老人灵机一动："哈森书念得多，让哈森给你起个名字。"

李大裤衩子眼睛一亮："对对对，我那三小子、四小子的名字都是哈森给起的。哈森，你也给爹起个名字。"

哈森也有点为难："儿子给爹起名字，这，这行吗？"

李大裤衩子急道:"有什么不行? 爹说行就行,起,给爹起名字。"

哈森稍加思考:"叫,叫李蒙富怎么样?"

李大裤衩子品味道:"李蒙富,李蒙富……到了蒙古草原就富了……好,好,这个名字好!"

人们都说好,大家举碗,为李大裤衩子有了名字而干杯。

放下酒碗,王老五开口道:"我说李大裤衩子,我得说你几句……"

李大裤衩子脸一沉:"哎,老王五哥,我儿子刚给我起了名字,我叫李蒙富。你咋还叫我李大裤衩子?"

王老五一拍脑门:"哎呀,这都叫顺嘴了,对对对,李蒙富。蒙富啊,不是五哥说你,你老弟有四个儿子,咱们这些老弟兄,就你儿子最多。可都统老爷都半辈子了,也没个一男半女。哈森从小就跟都统老爷习文练武,将来肯定有大出息。我说话嘴可损点,你家八辈子种地,祖坟上没冒青烟,留不住哈森这么大的才。可巴家是成吉思汗的后代,世世代代都做大官,多大的才巴家都能担得起。而且,哈森一直叫都统老爷阿爸。我看干脆,你把哈森过继给都统老爷得了。"

大伙知道哈森和巴特的关系,也知道太夫人喜欢哈森,因此都劝李蒙富。

李蒙富喝得有点高:"我要是哈森的亲爹还用你们说? 早就把哈森给都统老爷了。"

李蒙富一句话,众人都愣了,怎么,哈森不是李蒙富亲生的? 刚才大家还七嘴八舌,热热闹闹,现在谁也不说话了,大厅里一下子静了下来。

哈森来到李蒙富面前,"扑通"就跪下了:"爹,你不是我亲爹,那我亲生父亲是谁?"

人们的目光都集中在李蒙富和哈森身上。太夫人心跳不止,哈珠魂不守舍,巴特全神贯注听下文。

李蒙富觉得自己失言,他嘴一咧:"我,我,我也不知道……"

哈森抱过李蒙富一条胳膊:"爹,求你告诉我,我亲生父亲到底是谁?"

李蒙富直抖手:"我,我,我真不知道。"

哈森仍乞求着："爹，哈森都十六岁了，可连自己亲生父亲都不知道，难道这其中还有什么不能说的秘密吗？"

李蒙富的汗都下来了："孩子，我，我，我实在是不知道……还是问你额吉吧……"

哈森打破沙锅问到底："额吉？谁是我亲生额吉？"

李蒙富被逼得实在没办法，他一指哈珠："哈珠妹子，你，你倒说句话呀……"

顿时，屋里人的视线又落到哈珠脸上，哈珠的心早就提到了嗓子眼儿。

哈森跪爬几步来到哈珠脚下，他眼中含泪："你真是我的亲生额吉吗？"

哈珠手足无措，眼泪扑簌簌地掉了下来，她使劲儿点头，却一句话也说不出来。

哈森的眼泪也下来了，他拉着哈珠的手："额吉，您就告诉我吧！"

哈珠把哈森扶了起来："儿子，额吉不能告诉你，额吉告诉你就会大祸临头的，真的会大祸临头啊……"

哈珠咬着嘴唇，又向巴特看了一眼，眼神之中不知是恨，是怨，还是情。

哈珠的举动深深地印在太夫人心中。太夫人一直怀疑哈森是巴特和哈珠的骨肉，尽管巴特和哈珠都否认。太夫人认为，巴特和哈珠一定是忌惮桐花。桐花本来就不把巴家人放在眼里，现在她阿玛又是钦差大臣、工部尚书，而且巴特又告了通智，此时说出实情，的确不是时候。

太夫人端起酒碗："来来来，今天咱们是蒙汉大聚会，巴家提前过年了。大家都要开怀畅饮，不醉不回。喝酒！喝酒！"

巴拉也说："喝喝喝……"

众人推杯换盏，又喝了起来。

酒足饭饱，巴拉、巴特及巴家众人把李蒙富、王老五等送出门外。哈珠叮嘱哈森好好跟道尔吉师父习文练武，多帮李家干一些力所能及的活，哈森点头答应。

年关越来越近，到包头召家庙敬佛祭祖是巴家不变的传统。仆人赶着三辆马车，前面两辆坐着巴拉、巴特等巴家人，后面的车拉着香、纸和供品。三辆车接近博托河时，见一群孩子在冰面上滑冰车。

塞外的孩子都喜欢滑冰车。冰车的制作很简单，冰车下有两个平行的脚，脚下各有一根笔直的铁条，很像滑冰鞋的滑刀。铁条上钉几块木板，这就成了冰车。冰车有一尺多宽，两尺来长，人坐在冰车上，两只手各持一根二尺多长的钎子。钎子扎在冰上，两臂一撑，冰车就滑了起来。

巴拉和巴特等人走进庙中，摆供品、献哈达、磕头，祈求佛祖和祖先保佑家人平安，家族兴旺。

敬佛祭祖之后，巴特要去看哈森，他向大哥巴拉打了个招呼就走了。

巴拉和道尔吉喇嘛进了禅房，巴拉问道尔吉："老二呀，你说哈森会不会是老三的骨血？"

道尔吉喇嘛一愣："哈森不是老三的义子吗？"

巴拉点点头："这个我知道，可是，我总觉得老三和哈珠、哈森的关系似乎没那么简单。"

第二十三章

·

巴特一咬牙，这对父女，一个向我放冷箭，一个给我下套，
什么岳父，什么夫妻，都是前世的仇人，今生的对头！

对于巴特的婚姻，巴拉愧疚已久，如果当初不是巴拉强行做主，巴特
也不会娶桐花；巴特不娶桐花，他和通智就没有见面的机会；见不到通
智，也就不会勾起他对背后那支冷箭的刻骨仇恨，也就不会去告什么御
状。如今巴特和桐花一家不是一家，两家不是两家；分也不是，合也
不是。

巴拉也怀疑巴特和哈珠有旧情。十七年前，巴拉、巴特兄弟赴科布多
打准噶尔。如果那时巴特和哈珠有了孩子，现在应该是十六岁，哈森刚好
是这个年龄。睡不着觉的时候，巴拉和锡兰商量过，如果巴特跟哈珠真有
那么回事，干脆就让他们名正言顺地在一起。有哈珠拴住巴特的心，说不
定他就不会再想着去告通智了。何况通智也说过，给巴特纳一房侧室。

道尔吉喇嘛认为不可能，当年，巴特新婚，他和桐花来家庙敬佛祭
祖，哈珠偷吃供品被发现。因太夫人缺个仆人，才把哈珠留下。道尔吉喇
嘛清清楚楚地记得，当年哈珠衣衫褴褛，巴特和她根本就不认识。

道尔吉喇嘛这么一说，巴拉更糊涂了，巴特和哈珠之间到底有什么秘
密呢？

李蒙富家的小院由篱笆变成了土墙，里面种了几棵果树，树上挂着晶莹的雪凇。果树边搭了几个高大的架子，架子上挂着硕大的玉米棒子，有头百余斤的猪望着架子上的玉米哼哼着。

哈森在给李家二小子、三小子修理冰车，见巴特来了，哈森直起身。

冰车引起了巴特对少年时的美好回忆，他带着哈森、二小子、三小子向博托河走去。河面上的冰车你来我往，你追我赶。二小子、三小子滑得飞快，哈森和巴特在一边看着。不知什么时候，哈珠到了博托河西岸，她在李家门前下了马。

哈珠把马拴在院外，从马背上解下一个包袱。房门前，哈珠把马鞭子立在门外右侧。这是蒙古人的风俗，马鞭子不能带进屋。

李家炕上放着两个黑色大瓦盆，瓦盆里生着绿豆芽。李蒙富媳妇豆芽生得好，一到过年，一些邻居就请她生豆芽，以备过年吃点蔬菜。

李蒙富媳妇准备给豆芽换水，见哈珠来了，她在围裙上擦了擦手："哈珠妹子，来来来，上炕，炕上暖和。"

哈珠把手中的包袱放在炕上，姐妹俩说了几句家常话，哈珠打开包袱，从里面拿出几块布料："姐姐，十五年前，你们逃荒来到这儿，连顿饱饭都吃不上，我把小哈森寄养在你们家，你和李大哥没说半个不字。我不知该怎么报答你和李大哥，年关到了，这几块布料你收下，给家里人做件新衣服。"

李蒙富媳妇搂住哈珠的手："哈珠妹子，收养哈森我们求之不得。没有哈森，我们夫妻哪能有儿子？要报答也是我们李家报答你。"

李蒙富两口子成亲七八年没孩子，两个人非常着急。山西雁北地区有"带子"之说——没有儿子的人家收养一个男孩，就能带来亲生儿子。李家那么穷，没有人愿意把孩子给他们。哈森到了李家没几年，果然李蒙富媳妇最大值有了身孕，二小子、三小子、四小子相继出生。因此，李家夫妻对哈珠非常感激。

哈珠执意把布料留给李蒙富媳妇："姐姐，你和李大哥人这么好，长生天肯定会赐给你们儿子的，这与哈森没有关系。当年，多亏你和李大哥，不然，哈森能不能活到现在还难说呢。这块布料你就收下吧，妹子就这点心意。"

李蒙富媳妇拗不过哈珠，只得收下，她一转话题："妹子，记得你说过，你男人早年过世，婆家娘家都没人。有件事我一直想跟你说，巴家人对你那么好，都统老爷对你也是有情有义，哈森还认了都统老爷做干爹，这么好的人家，你就没动心？"

一听这话，哈珠站了起来，她情绪激动："不不不，我不能嫁给他！我不能嫁给他！"

李蒙富媳妇拉着哈珠的手："妹子，你不嫁，那总得有个原因吧？"

哈珠眼中含泪："我不能说，我不能说……"

哈珠从李蒙富媳妇手中挣脱出来，她往外就走，一推门，巴特和哈森出现在眼前。

哈珠神情更紧张了："你，你们怎么在这儿？"

哈森目光凝重："阿爸带我和弟弟在河上滑冰车，见额吉来了，我们就回来了。"

李蒙富媳妇对哈珠说："哈珠妹子，多坐一会儿，跟都统老爷……跟哈森说说话。"

李蒙富媳妇把哈珠拉进屋，哈森关上房门。

巴特跟李蒙富媳妇搭讪："李大哥不在家？"

李蒙富媳妇说："啊，刚才智东家叫他拉粮去了，过完年他们的商队就去大库伦。"

巴特和李蒙富媳妇正说着话，哈森"扑通"跪在哈珠脚下："额吉，你刚才的话我和阿爸都听到了。这屋里没有外人，不管我亲生阿爸是不是还活着，求您告诉儿子，我亲生阿爸到底是谁？"

哈珠急得直搓手，她不时地看着巴特，眼神令人难以琢磨："儿子，难道你要逼死额吉吗？"

巴特把哈森扶了起来："儿子，额吉肯定有苦衷，你就不要问了。"

这个年过得虽然有点紧，但有了李蒙富、王老五等汉人送来的不少酒肉，巴家也算是过了一个安乐祥和的年。

一出正月，来巴家租地的人就多了起来。前几年是秋后交地租，现在汉民条件好了，都愿意春种前交，这样能更便宜一些，正好巴家也需要钱。有了租金，巴家的经济状况得到了一定改善。

巴拉不允许巴特再去打官司告状，巴特无事可做，他又到包头召教哈森读书练武。

一晃就是三年。这三年，哈森文的，"四书""五经"背诵如流；武的，弓刀石、马步箭，无一不精。可是，让人不解的是，这三年中，桐花不来找巴特，巴特也不去看桐花，仿佛两个人的婚姻根本就不存在。

包头村人口进一步增加，大有赶超萨拉齐的趋势。街上商号林立，人来人往，什么卖米的、卖面的；卖茶的、卖蛋的；卖葱的、卖蒜的；卖布的、卖线的……五行八作应有尽有。

这天，巴特和哈森来到街上，见一家粮油店前放着一扇门板，李蒙富媳妇正在往门板上倒米。旁边有辆马车，屋里角落里堆了一堆羊毛。两个身穿蒙古袍的中年人在帮李蒙富媳妇从屋里往外抬米。

自从李蒙富随商队去大库伦、恰克图拉骆驼做买卖，李家日子一天比一天好。不久前，李蒙富媳妇把公婆也接到了包头。山西人做生意是把好手，李家凑了点钱，开了这家小店。

哈森走近李蒙富媳妇："娘。"

李蒙富媳妇闻声抬起头："哟！哈森，都统老爷，里边坐，里边坐。"

巴特道："李大嫂，这是要晾米呀？"

李蒙富媳妇笑盈盈地说："不是，这是换米。这两个蒙古大哥用羊毛换我的米。"

巴特疑惑地说："换米怎么往门板上倒啊？"

李蒙富媳妇解释道："这叫门板称货。"

门板称货是以物易物的一种手段。有些蒙古人拉来羊毛，二斤羊毛换一斤米。像李家这样的小粮油店没有大秤，如果用小秤，称完一车羊毛再称米，太耗时间。聪明的山西人就把米倒在门板上，两门板羊毛换一板米。李家收了羊毛，再转手卖掉，又多了一笔赚头。

哈森也和两个身着蒙古袍的人一起忙活。

李蒙富媳妇和巴特搭讪起来："都统老爷，今天怎么有空出来转转？"

巴特道："啊，李大嫂，庙上有两扇门坏了，我来找铁匠铺打几副门拉手，再请个木匠把庙上的门修一修。"

李蒙富媳妇道："都统老爷来得正好，这要是一个月前，铁匠、木匠都在归化新城工地上，不过，这几天好找了。"

巴特问："怎么？归化新城修完了？"

李蒙富媳妇摇了摇头："没有。听他们说，工地上光干活不给钱，大伙就都不干了。"

哈森和两位蒙古袍男人把米装上车。车走了，巴特让哈森留下来帮李蒙富媳妇收拾羊毛，他向一家铁匠铺走去。

铁匠铺里，一个中年和一个青年正光着膀子"叮当叮当"地打着铁，见巴特来了，两人放下手中的锤子向巴特打招呼。巴特跟他们聊了起来，原来，这是一对父子，当初两个人都在归化新城工地干活，匠人每人每年的工钱是一两五钱银子，普通民工是一两银子，可干了两年多，铁匠父子二人只拿到一吊钱。铁匠一大家子生活无着，这才到包头来打铁。

巴特一皱眉："通智为什么不给工钱？"

中年铁匠连连摆手："这位爷，这你可错怪通大人了。朝廷下拨建城的银两只够买土方和石料，根本就没钱支持民工。通大人见我们挺可怜，想放垦草原，卖地支付工钱，可谁知建威将军申慕德和土默特左右两旗的副都统死活不同意。通大人强龙压不过地头蛇，没办法。"

放垦草原就是国家低价把蒙古人家的土地收购上来，然后高价卖给汉人耕种。

巴特道："这么说，通智和申慕德产生矛盾了？"

中年铁匠支吾道："这，这……我就不知道了。"

巴特暗想，修筑归化新城时，朝廷准备了足够的银两，怎么现在要卖地支付民工工钱？那些钱都哪儿去了？要放垦土地，那肯定都是最好的牧场。蒙古人只会放牧，不习耕种，他们失去牧场，生活怎么办？汉人可以逃荒走西口，朝廷给各个旗都划定了地盘，不得越境放牧、居住，蒙古人往哪儿走？申慕德和土默特左右两旗的官员做得没错呀！

会不会是通智老贼中饱私囊，贪污了建城的银子？

想到通智的为人，巴特不禁倒吸一口凉气。当年通智逼反宝树，向我放冷箭。到了归化城又是微服私访，又是收买民心，此人狼一样凶残，狐狸一样狡诈，背后必然有其险恶的用心。历史上，一些大奸往往伪装成大善的模样，像汉朝的王莽，他生活极为简朴，对人极为和善，辅佐哀帝、平帝、孺子婴三世，时人称其为伊尹、周公，可就是这个"伊尹""周公"篡取了汉室江山；唐朝的李林甫，不贪赃，不枉法，不徇私情，体恤百姓疾苦，广受人们称赞。身居相位后，他大权独握，口蜜腹剑，为"安史之乱"埋下祸根，千载骂名；明朝的严嵩，敢于直言犯上，正气凛然。当了内阁首辅之初，兴利革弊，朝政为之一新。后来他侵吞军饷，废弛边备，把大明的江山一步步推向深渊……

这些人的共同之处就是善于伪装，蒙蔽百姓，蒙蔽群臣，蒙蔽天子，一旦攫取高位，就露出其狰狞面目。

巴特越想越激动，此等大奸不除，必然危害国家！我必须戳穿老贼的阴谋，揭开他的假面具。我不下地狱谁下地狱！我不除他谁除他！

可是，怎么除掉老贼呢？首先要抓住通智的把柄，只要查出老贼贪赃的证据，我就像苍鹰捕兔一样，看准机会，一个俯冲下去，置他于死地！我已经三年没去归化城了，该到归化城看看了。

前两年，巴拉还叫人看着巴特，可是，巴特沉默不语，深居简出，以前的锐气不见了，巴拉也就放松了警惕，这半年也就不再看着他了。

巴特思忖，通智的心机深不可测，抓他的把柄绝不是一件容易的事，说不定要三五个月或更长时间。我长时间不在包头召，家人必定生疑。巴特灵机一动，李大哥去大库伦、恰克图贩粮，一走就是小半年……对，我就跟家里人说去大库伦、恰克图贩马。

巴家人听说巴特要去贩马，也没过分反对，锡兰给巴特准备了一些肉干、炒米及盘缠，巴拉送巴特出沙尔沁。巴拉一走，巴特就绕道奔归化城而去。

到归化城一打听，通智居然还住在巴特分家时买下的那所宅子里。巴特不解，这么长时间，通智不住将军衙署，他搞什么名堂？

巴特倒暗中庆幸起来，将军衙署戒备森严，很难接近。在这所宅子里查他，那就容易多了。

巴特在附近一家偏僻的小客栈住下。定更之后，巴特换上夜行衣，来到这个令他既伤心又痛苦的宅子。

宅院的墙比当初高出许多。门前很静，除了两个站岗的门军，看不出什么异常。巴特躲在黑暗角落里观察。二更过后，街上的行人渐渐地少了。一辆马车来到院外，车上的人不知往门军手里塞了包什么东西。接着，又有两辆车相继来到门口，三辆车鱼贯而入，全都进了院子。不多时，车出来了，三辆车沿大街向西而去。

巴特跟在三辆车后面。车在两串大红灯笼门前停了下来。大门开了，三辆车进大院。巴特抬头一看，门楣上有块匾，在灯笼的照射下，"大盛兴总号"五个大字清晰可见。巴特两脚点地，"噌"地上了墙，又从墙上跳到院中。

里面是个三院套。按照当时人们的居住习惯，前面两个院通常住着管家和仆人，主人一般都在后院。巴特直奔后院。

正房亮着灯，巴特来到窗前，用舌尖舔破窗户纸，往里一看，见大盛兴商号的张东家正和一个花枝招展的女子眉飞色舞。

张东家很得意："成了！又一笔大买卖成了！"

女子问："这回能赚多少银子？"

"怎么也得赚三万两吧。"

"能赚这么多？"

"赚这么多？你也不问问我送了多少？"

"送了多少？"

"足足一万两雪花银！"

"那通智就收了？"

"我哪能见到通大人。人家是钦差，当朝一品。我见的是他女儿桐花。"

"这么大的事，他女儿能行吗？"

"怎么不行？你忘了？当年咱们采伐宝丰山林木的公文就是她给

办的。"

巴特大惊，宝丰山林木的事果然是桐花干的！这件事困扰了我这么多年，原来是这个贱人，她可害死我了！

女子又说："这倒也是。我记得出事之后，还是桐花写信，让你进京去找通智。对了，那次你给通大人送了多少？"

"那次送了十二颗珍珠……"

巴特一咬牙，这对父女，一个向我放冷箭，一个给我下套，什么岳父，什么夫妻，都是前世的仇人，今生的对头！巴特恨不能杀了通智，宰了桐花。可是，他不能，通智现在是钦差，杀钦差是灭门大罪。杀桐花也不能，事情刚刚查出点眉目，还没有水落石出，此时动手，不但暴露自己，还会前功尽弃。

巴特又想到张东家送去的银子，那宅子可是我的，通智只是暂住。一旦事发，从宅子里查出银子，通智一个不知道，往我身上一推，人们肯定会认为是我当副都统时搜刮的钱财。到那时，我就算有一千张嘴也解释不清。老贼果然狡猾，幸亏我来了，不然，说不定哪天我就成了他的替死鬼！

第二十四章

> 巴特奄奄一息，色楞命衙役卸掉巴特的枷板。色楞想踹巴特
> 两脚，可巴特浑身是血，连个下脚的地方都没有。

巴特一查就是两个多月，白天也有车辆到这所宅院，但门军从不放他们进去，夜里却是来者不拒。巴特把时间、车辆数量、哪家商号的车，等等，都详细地记在一个簿子上。可是，没看到赃物，巴特还是心里没底。

这天晚上，巴特腰间插了一把飞爪，他来到院外，一抖手，飞爪搭在墙上。巴特拽了拽飞爪的绳子，然后爬上墙。巴特收好飞爪，趴在墙上往下看。院里很静，正房、厢房门前都挂着灯笼，几个屋虽然亮着灯，但透过窗上的小块玻璃，只能看到屋里的窗帘。

大门"吱呀"开了，三辆马车赶了进来。车停在院中，马车上下来四个人，其中一个到上房前轻轻地敲了敲门，桐雪把这个人领进屋中。片刻，桐雪和那人出来了。车赶到西厢房前，桐雪打开门，那些人从车上搬下箱子，相继抬入西厢房。

箱子卸完了，那人向桐雪作了作揖，把车赶出院，院里又恢复了寂静。

巴特把飞爪挂在墙上，他顺着绳子下了墙。巴特收起飞爪，悄悄地靠近正房，里面传出桐花的声音："广顺昌的东家宋继文什么事？"

桐雪应道："啊，小姐，宋东家说归化新城城墙的活都干完了，请老爷过去看看。"

"是请阿玛验收？"

"对，就是这个意思。"

"嗯，我跟阿玛说吧。"

"……小姐，咱们总是这样，万一……"

"万一什么？胆小不得将军做。阿玛是钦差大人，你怕什么？行了，去睡吧。"

"是，小姐。"

屋里静了下来，又过了一会儿，灯熄了。

巴特纳闷，这次来归化城，一直没见通智。通智在哪儿？

正想着，"咕噜咕噜"，声音不小，好像是车轱辘的转动声，不知是从哪儿传来的。巴特仔细听了听，仍没有声音。

巴特以为是自己的耳朵听错了，他又回到西厢房窗下，西厢房里面漆黑一片，没有任何动静。巴特从靴子筒上拔出短刀，插入窗棂的缝隙。他用刀拨开窗户的插板，推开窗户，身子一缩，进了西厢房。

星光下，屋里的摆设依稀可辨。桌椅板凳，以及茶几、衣柜都有，可就是没有箱子。巴特很奇怪，那么多箱子，怎么一转眼就没了？难道是出鬼了？是鬼把箱子搬走了？不可能啊，鬼没影，可箱子有影啊！

巴特趴下身子，耳朵贴在地上，又用短刀柄轻轻地敲了敲地面，仍没发现异常。巴特站起身，两眼不停地在屋中搜索。

屋里东北角有张床。巴特的心一动，箱子会不会藏在床下？他来到床前，床下空空如也，什么也没有。巴特两手抓住床沿儿，想把床挪开看看里面。可床刚一动，"嘎巴"一声，巴特就觉得脚下一软，身子像断了线的风筝一样失去了控制。巴特忙松手，可已经晚了，他一个跟头跌了下去，"扑通"摔进水中。

巴特大惊，坏了，我掉进井里了！他手刨脚蹬，总算站了起来。还好，水不是很深，只到胸口，自己也没摔伤。

井里漆黑一片，伸手不见五指。巴特暗叫不好，他想从腰间解下飞爪，手一摸，飞爪也摔没了。

就在这时，上面有人高喊："抓刺客！抓刺客——"

随着一阵急促的脚步声，上面亮起了十几盏灯笼。巴特往上一看，为首之人正是通智。

巴特十分奇怪，通智这是从哪里钻出来的？

通智吩咐一声："把刺客拽上来！"

下面的水冰一般的凉，巴特浑身都僵了，几个军兵用挠钩套锁把巴特拽上来五花大绑。

通智见是巴特，他惊道："是你！"

巴特咬着牙，并不答话。

通智吩咐一声："搜！"

军兵从巴特灌满水的靴子筒里搜出短刀。

通智接过短刀，脸上一副痛苦的表情："巴特呀巴特，我们虽是翁婿，可我一直把你当儿子看待，你进京告我，我叫申将军给你开公文；没盘缠，我给你拿银子；你被皇上打入木笼囚车，我把你放了出来。我对你仁至义尽，可你却恩将仇报，居然来行刺我，你太让我伤心，太让我失望了。"

巴特大骂："老贼！谁和你是翁婿？我和你不共戴天！你装出这副假惺惺的样子又想欺世盗名，收买人心，是不是？你瞒得了别人，瞒不了我。剥了你的皮，我认识你的瓤；就算把你烧成灰，碾成面，我也能认出你！你外表和善，内藏奸诈，在战场上，你向我放冷箭；在朝中，你骗取皇上的信任；建归化新城，你收受大量赃银；在百姓和官僚之中，你假仁假义。你就是王莽！李林甫！严嵩！我恨不能吃你的肉，喝你的血！"

桐花张牙舞爪地扑向巴特，在巴特脸上"啪""啪"挠了两把："你敢行刺我阿玛，我打死你！我打死你！"

桐花又踢又打，巴特脸上的血和水一起流了下来。他眼睛一闭，任由桐花发泄。

通智一摆手："桐花，不要打了，他不仁，我们不能不义。"

桐花喘着粗气："不仁不义的都是他。他早就跟哈珠那个狐狸精生了儿子，不然，我也不能和他走到今天这步。阿玛，马上把他押到刑场，给他一刀两断!"

通智摇了摇头："我于心何忍，于心何忍哪……"通智对军兵道，"把巴特交给申将军处理吧。"

第二天，归化城就传开了，人们议论纷纷——

"记得巴特当副都统时挺好的，怎么现在成了杀人的魔鬼?"

"就是，通大人对他天高地厚，他却以怨报德，反过来行刺通大人，这种人心怎么长的?"

"老天爷是长眼的，通大人是个大清官，所以，巴特那小子才不会得逞……"

通智初到归化城时，申慕德对他恭恭敬敬。谁都知道筑城是个肥差，可通智却不让申慕德插手。后来，银两严重不足，通智提出放垦草原支付民工工钱。申慕德觉得，牧场被征收，补偿款很低，蒙古人不善理财，用不了几年钱就花完了，以后的生活便没了着落。通智是京官，他修完城拍屁股走人，蒙民吃不上饭不可能进京找通智，挨骂、擦屁股的事肯定是申慕德。一旦发生民变，朝廷肯定要追究当地的责任，丢官罢职的是申慕德，而不是通智。

土默特两旗的官员也看到了这层，因此，他们和申慕德都反对放垦草原。双方僵持不下，各自给朝廷上奏折，朝廷一时也没有拿出切实可行的办法。因此，申慕德和通智表面上和气，内心里都对对方不满。

清早，通智派人把巴特押到建威将军衙署。申慕德得知昨夜的经过，不禁大吃一惊，在自己的地盘出现行刺钦差大臣的案件，那还了得! 通智把巴特送到我这里，难道他怀疑巴特是我指使的?

申慕德当即升堂，衙役两旁站立。

申慕德把虎威一拍："巴特，你为什么行刺钦差大人，还不从实招来?"

巴特矢口否认，他把几个月来夜探通智住所发现的种种情况详细地说了一遍。申慕德也怀疑通智筑城贪赃枉法，听巴特这么一说，更加坚信自己的判断。你不是钦差大臣吗? 我不是惹不起你吗? 我上报朝廷。

申慕德正在写折子，通智走了进来："申将军，巴特行刺本官的案子可有进展？"

申慕德站起身："大人，巴特的案子关系重大，下官是武将，要说冲锋陷阵，杀敌立功，还有几分自信，可审案子，给人定罪，下官就力不从心了。申某想上一道奏折，由朝廷派人来审。大人以为如何呀？"

通智的笑深不可测："杀鸡何需牛刀？巴特身为草民，手持利刃，半夜闯入本官的住所，人刀俱获，证据确凿，这还用上奏朝廷吗？"

通智特别提到"草民"，言外之意很明显，巴特无官无职，杀一个小老百姓，跟踩死一只蚂蚁一般，上报朝廷岂不是小题大做，多此一举？

申慕德推说："可是，巴特在申某手下为官多年，下官审理此案，多有不便。"

通智眼珠一转："如果申大人觉得不好审，就把这个案子交给土默特右旗副都统色楞。色楞刚正不阿，不徇私情，相信他一定会把这个案子查个水落石出。"

色楞是满人，一直在通智手下当差。在通智的关照下，色楞升迁很快，就在一个月前，通智把他提拔到土默特右旗副都统位置上。

色楞三十多岁，两只眼睛努着，脸上除了麻子就是坑，一副凶相。

色楞接到案子的当天，就把巴特从牢中提了出来。

巴特脖子上戴着枷板，手被扣在枷板上。

巴特立在大堂，色楞看着他，他也看着色楞，两个人对视了良久，谁也没说话。色楞从桌案后面走了出来，他围着巴特转着圈，一圈一圈又一圈。巴特心说，色楞这是什么毛病？突然，色楞抬起脚，猛地从背后踹向巴特的膝关节，"扑通"，巴特一个跟头摔在地上。

色楞骂道："本大人看了你半天，你却装疯卖傻，立而不跪。你还以为你是副都统吗？老子提醒你，现在我是副都统！"

色楞回到桌前，他往椅子上一坐，两脚往桌子上一搭。

巴特挣扎着站起，仍不肯下跪。

色楞火往上撞："小子，你还不跪？来人，掌嘴四十！"

这三年多来，土默特右旗副都统衙门里的差人大部分都换了，尤其是色楞上任，专门选了一些他看着顺眼的人。这些人一个个如狼似虎，把巴特摁在地上就打。

巴特连呼："你们凭什么打人？为什么不问案就打人？"

色楞悠闲地品着茶，根本不理巴特。

四十记耳光打完了，巴特眼前金星乱窜，两边脸肿得跟馒头似的，他又挣扎着站了起来。

色楞瞥了巴特一眼，虎威一拍："下面何人？"

巴特怒目而视："草民巴特。"

色楞瞪着巴特："所犯何罪？"

巴特的话铿锵有力："草民无罪！"

色楞把两只脚从桌上放到地下："小子，你嘴挺硬啊！手提钢刀，夜闯钦差大臣的住所行刺钦差大臣，还说无罪？来人，给我重打四十大板！"

众衙役凶神恶煞一般，一边打一边数数："一、二、三、四……"

几板子下去，巴特皮开肉绽。巴特紧咬牙关，汗珠从额头直往下滚，他一声不吭。

四十大板下去，巴特连头都抬不起来了。

色楞又从桌案前走下来，他一阵冷笑："怎么样，这滋味不错吧？你招不招？"

巴特二目喷火："我没有行刺，你让我招什么？"

一听这话，色楞的眼睛都要努出眶外了："小子，我倒要看看，是你的嘴硬，还是老爷我的板子硬。来人！再打八十。"

前后一百二十板子，就是铁人也受不了。巴特奄奄一息，色楞命衙役卸掉巴特的枷板。色楞想踹巴特两脚，可巴特浑身是血，连个下脚的地方都没有。

色楞又问："你到底招不招？"

巴特声音很弱："我没有行刺……"

色楞气得直翻白眼："你你你……我要剥你的皮！"

色楞吩咐道："先把他抬进大牢，七天后老爷我重新过堂。"

七天之后，两个衙役又把巴特从大牢中架了出来。

色楞喝问："小子，你招不招？"

"招什么？"

"手持利刃，刺杀钦差大臣！"

"我没有行刺！"

"好小子，来人，剥皮！"

色楞真要剥巴特的皮吗？这倒不是，不过，色楞的刑法比剥皮还残酷。巴特被打得皮开肉绽，衣服和伤口粘在一起。经过这七天，伤口结痂，衣服和痂连成一体。色楞说的剥皮就是往下扯巴特的衣服，可想而知，那是多么痛苦！

四个衙役控制着巴特的四肢，另外两个衙役解开巴特的裤子往下拽，"刺啦"，巴特屁股上撕下巴掌大一块皮，皮上带着肉，肉下是白生生的脂肪，脂肪上浸出血浆……

"啊……"巴特一下子昏了过去。

色楞比厉鬼还狠："泼水！"

两瓢凉水泼在巴特头上，巴特眼睛慢慢睁开。

色楞吼道："你招不招？"

巴特恨不能眼睛里射出两把刀："不招！"

色楞大叫："好小子，我让你不招，再剥！"

衙役又往下扯巴特的裤子，"刺啦"，这次扯掉的皮比刚才还大。巴特连叫的力气都没了，他身子抽动一下，又昏了过去。

色楞叫人再把巴特泼醒："你到底招不招？"

巴特微睁双眼："我没有行刺，我没有行刺……"

色楞暴跳如雷："给我撒盐！"

衙役把盐往巴特的伤口上一撒，巴特惨叫一声，又昏了过去。

色楞第三次把巴特泼醒，可巴特如同铁打铜铸的一般，就是不招。

色楞气急败坏，可他也没招了："滚滚滚，先把他给我抬下去。"

色楞在大堂上来回踱步，巴特死活不招，还能给他用什么刑呢？

一个差人走了进来："色大人，新任钦差大臣刘统勋到了归化城，通大人让所有官员随他一起迎接。"

通智的话比圣旨还好使，色楞立刻出门，直奔通智的办公地点。

通智修筑归化新城的当年，雍正皇帝就驾鹤西去了，现在的皇帝是乾隆。通智和申慕德的矛盾闹到朝廷，乾隆经过缜密思考，决定派左都御史刘统勋来了解情况。

御史产生于秦朝，是专门查处和监督政府官员的官。在中国两千多年的皇权专制制度中，御史的机构变化不大，元朝之前叫御史台，明清时叫都察院。清朝都察院的一把手称左都御史，左都御史在乾隆时期是从一品，与通智、申慕德品级一样。

御史虽是文官，但官服与文官不同，而是自成序列。只要是御史，不管几品，补子都是獬豸（xièzhì）。

獬豸是传说中的神兽，其额上长有一只角，也称独角兽。相传，獬豸有很高的智慧，懂人言，知人性，能辨是非曲直，能识善恶忠奸。每当发现奸邪的官员时，就用角将其顶倒，然后吃进肚子。因此，清朝把獬豸绣在御史的补服上。

通智心中吃惊，乾隆派左都御史来归化城，难道是要查我吗？

第二十五章

色楞放下灯笼，眼中露出一道凶光。色楞俯下身，两手死死地掐住巴特的脖子。巴特气息奄奄，跟一摊泥差不多，片刻，就没气了。

刘统勋来到归化城，通智倍加谨慎，他和申慕德率归化城大小官员把刘统勋接到公馆。刘统勋身材偏瘦，脸色微黑，相貌冷峻，两眼放光，额下的胡子虽然稀疏，却像针一样锐利。

通智没事就跑到刘统勋的公馆，他想探刘统勋的口风，可刘统勋只说奉皇上之命前来巡视归化新城，其他的什么也不说。

如今，归化新城主体已经完成，只有几个城门楼还在紧张施工。

细雨绵绵，一下就是半个多月。上午，乌云笼罩，闪电一刀接一刀地切割着低垂的云层。中午时分，归化新城上空的云层裂开缝隙，阳光瀑布般从九天一泻而下。

归化城公馆。刘统勋坐在案前一边喝茶，一边凝眉思索。

一个御史跑了进来："启禀大人，大事不好，归化新城北门坍塌，两边的城墙倒了十余丈！"

刘统勋"噌"地站了起来："快，备马！"

从归化城到归化新城只有五里，刘统勋带着几个御史来到事发现场。

见刘统勋来了，通智急忙上前："大人，这雨太大了，城墙都被冲倒了。"

刘统勋反复看了几遍："通大人，雨是不小，可哪有发大水的痕迹？"

通智脸上的汗直往外冒，他走近倒塌的砖石前："这些当差的，竟跟本官说是洪水冲倒了城墙。幸亏大人慧目如电，不然通某还被蒙在鼓里。大人放心，本官一定严查事故责任人，早日把城门修好。"

"救命啊……"

废墟中传来呼救声，声音不高，刘统勋却听得很清楚，他疾步来到近前，见一个民工被埋在砖下，只有半边脸露在外面。

刘统勋急忙道："快救人！"

刘统勋坐镇指挥，通智协助，申慕德及归化城的大小官员全部出动，千余名军兵在现场施救。直到第二天下午，坍塌的城门楼和城墙才清理完毕，军兵从废墟中挖出七具尸体，十余名伤者。

通智深感不妙，城门塌陷，死伤这么多人，我难辞其咎。还有巴特，他一心置我于死地，必须当机立断……

通智悄悄地把色楞叫到一边："色大人，巴特的案子进展到什么程度了？"

色楞直挠脑袋："大人，巴特这小子又臭又硬，我把他打得皮开肉绽，不但揭了他身上痂，还撒了盐，可他就是不招。"

通智似乎在埋怨色楞："我只想让巴特吃点苦头，你怎么下这么重的手？"

色楞谄媚地说："我，我是为大人鸣不平。大人是他岳父，对他有天高地厚之恩，可他不知恩图报，反而行刺大人。这种忘恩负义的人，我恨不能把他千刀万剐！"

通智狡黠地说："刘统勋来者不善。你用这么重的刑，却没问出口供，我怕对你不利。你是我提拔的，你的正二品来之不易，我不能不为你考虑呀。"

怕丢头上的乌纱，这是官员们的共同心理。色楞惊恐万状："大人，那，那下官该怎么办？"

通智一副左右为难的样子："巴特虽然是我的女婿，可要保巴特，你的前途就没了；要保你，唉……"

色楞"扑通"一声就跪下了，他抱住通智的大腿："大人，救我呀！巴特虽然是大人的女婿，可早就把小姐抛弃了，他和大人之间已经恩断义绝。可在小人心中，大人就是我的重生父母，再造爹娘。大人！"

通智点点头："是啊，我也是一直把你当成亲生儿子看待……"

一听这话，色楞给通智"梆梆梆"磕响头："阿玛在上，儿子给您老人家磕头了。从今天起，您老人家就是色楞的亲阿玛，色楞唯阿玛之命是从，如有二心，天诛地灭！"

通智双手相搀："我儿快快请起。"

色楞起身，他战战兢兢地问："阿玛，那巴特怎么处治？"

通智似乎痛苦难当："唉，儿子，你就看着办吧。"

色楞一阵狞笑："阿玛，儿子明白！"

天交三更，色楞提着灯笼来到监牢。见巴特蜷缩在墙角，两眼微闭，血肉模糊。色楞放下灯笼，眼中露出一道凶光。色楞俯下身，两手死死地掐住巴特的脖子。

巴特气息奄奄，跟一摊泥差不多，片刻，就没气了。

色楞想做出巴特自杀的假相，他迅速从腰间取出一条白绫，把白绫搭在房梁上，两头系在一起，然后，抱起巴特，把白绫往巴特脖子上套……

突然，有人大喝一声："住手！"

色楞吓得一哆嗦，手一松，巴特摔在地上。色楞回过头，见钦差大臣刘统勋和建威将军申慕德站在身后。几个军兵冲上前，把色楞胳膊往后一拧，绑了起来。

归化新城北门坍塌，刘统勋预感到通智有问题。晚上，刘统勋回到归化城，他把申慕德叫到公馆，询问通智的情况。申慕德就把巴特当年如何进京告御状，如何夜探通智住所被抓，通智如何让申慕德审案，通智如何把案子交给色楞，色楞如何对巴特用刑等情况，详细地禀报给刘统勋。

刘统勋要找巴特了解情况，于是，两个人来到牢房，没想到正遇上色楞杀人灭口。

刘统勋立刻传医官抢救巴特，好半天巴特才醒过来。

申慕德俯下身："巴特，钦差大臣兼左都御史刘统勋大人在此，你有什么冤情就说吧。"

巴特一听眼前之人是左都御史刘统勋，眼睛渐渐地睁大了，这真是长生天长眼，神佛保佑，祖先庇护。巴特把他看到的情况全盘说给刘统勋。

刘统勋当机立断："申将军，你速带一支人马包围通智的住所。切记，连一只鸟也不能放走！"

申慕德响亮地应道："是！大人。"

连日来，不分白天黑夜，通智吃住都在归化新城塌陷现场。雄鸡第一声鸣叫时，申慕德带人把通智的住所团团围住。两个当值的门军还想问怎么回事，申慕德手下的军兵过来就把他们押了下去。"梆梆梆……"当兵的使劲儿敲门，桐花以为是通智回来了，她带桐雪开门一看，不由得大惊。

桐花两手叉腰："这是钦差大人的住所，你们不要命了？"

刘统勋在几个御史的陪同下走上前，他上下打量桐花："你就是通智的女儿桐花？"

桐花眼睛往上翻："算你聪明，我就是钦差通大人的女儿桐花。你是谁？为什么三更半夜跑到我们家来？难道你们要抢劫不成？"

刘统勋脸上没有表情："抢劫？有带官兵抢劫的吗？"

申慕德斥道："休得啰唆！这是当今皇上的钦差、左都御史刘统勋，刘大人。"

刘统勋一到归化城，通智就告诉桐花小心，没想到刘统勋到了自己家，桐花大吃一惊，两腿一软跪倒在地。

申慕德带人直奔西厢房，一进屋就发现了那张床。申慕德命军兵挪床，刘统勋一摆手，他把桐花和桐雪叫到近前。刘统勋让两个人挪床，桐花吓得直往后躲，桐雪也不敢上前。

刘统勋喝问桐花："床下有什么？"

桐花支支吾吾地说："下面，下面，是地窖。"

刘统勋命道："打开。"

桐花磨磨蹭蹭不往前走，她让桐雪过去。桐雪钻到床下，不知按动了什么，然后从床下爬出来。桐雪推了一下床，地上铺的方砖出现一块盖板，盖板"嘎吱嘎吱"向墙里移去，床边闪出一个四尺见方的井。

刘统勋叫人拿来绳子和箩筐，一个军兵手持火把，坐在筐中，上面的人把他放了下去。可是，井里除了水，什么也没有。刘统勋只得命人把这个军兵拉上地面。

桐花赔着笑脸："大人哪，这是我们家储存冬菜的菜窖，今年雨水大，窖里积了水。不知大人到我们家来找什么？"

刘统勋一个劲儿地皱眉，巴特说亲眼看到马车上的箱子抬进西厢房，可那些箱子会藏在哪儿呢？

刘统勋的目光又转向桐花："那些箱子藏在什么地方？你还不从实招来？"

桐花底气并不足："什么箱子？我们家有柜子，没，没有箱子。"

在灯光的映照下，刘统勋的脸越发显得冷峻："通智收受不法商人贿赂，如果你不从实招来，那就只能和他一起掉脑袋，你明白吗？"

刘统勋身边的御史也大声斥责。桐花胆战心惊："我，我，我……"

桐花瞟了一眼桐雪，刘统勋转向桐雪："虽然你是使女，可每次都是你出面接受贿赂。本官念你不是主子，如果你肯说出实情，本官就恕你无罪，不然，你只能为通智陪葬！"

桐雪"扑通"就跪下了："我说，我说，西墙上有个蜡台，蜡台下面有个把手，一扳把手，北面墙上就会开一扇门，箱子都在里面。"

人们的目光一下子转向西墙，刘统勋这才注意到，西墙上有个二尺多高、一尺半宽、半尺多深的凹槽。凹槽有点像佛龛，当中果然有个蜡台。刘统勋命桐雪打开墙上的门，桐雪来到凹槽前，她移开蜡台，蜡台下有块木板，取下木板，一个半尺多长的手柄露了出来。桐雪一扳手柄，"咕噜咕噜"，一道门出现在北墙。

申慕德暗自吃惊，通智竟如此狡猾，他居然用床下的地窖来转移别人的视线。要是桐雪不说，谁也不会想到北墙设有机关！

进了这道门，里面是条暗道。穿过暗道，是三间密室。打开密室，借灯光一看，一排排箱子出现在眼前。军兵撬开几个箱子，里面都是金银财宝。刘统勋大致数了数，黄金约一万多两，白银八十多万两，什么珍珠、玛瑙、翡翠不计其数。在场众人无不惊讶。

刘统勋即刻命人把通智押进大牢。

黑夜散去，一轮红日从东方升起，空气格外清新。

刘统勋升坐大堂，申慕德站在刘统勋左下方，通智站在堂下。

刘统勋冷面如霜："通智，在你的住处查出大量金银财宝，你有何话说？"

通智面不改色心不跳："刘大人，这话从何说起？宅子是本官女婿女儿的，本官每天在归化新城工地，大家有目共睹。什么金银财宝，通某一无所知。"

刘统勋又问："那归化新城门楼和城墙是怎么倒的？"

"大雨引发地基下沉而倒。"

"北门由何人负责？"

"由工部员外郎满达负责。"

刘统勋喝道："带满达！"

满达"扑通"跪在刘统勋面前："大人，下官有罪，下官有罪。"

"你有何罪？"

"下官收了宋继文的银子，把北城的工程包给了宋继文。"

"宋继文是何人？"

"是，是，是广顺昌商号的东家。"

"你收了他多少银子？"

"三千两。"

刘统勋喝道："带宋继文！"

宋继文被押上大堂，他跪在满达身边。

刘统勋一拍惊堂木："大胆宋继文，城门地基本应下挖八尺，可你只挖三尺，你贿赂朝廷命官，蒙混过关，致使北门城楼及其两旁城墙塌陷，数条无辜生命被埋城下，你还不从实招来？"

宋继文差点哭了："大人，小人知罪，小人知罪。小人家中还有八十岁老母，求大人开恩，求大人开恩哪！"

刘统勋面沉似水："本官可以考虑你家中情况，但你必须从实招来，如有半句谎言，定斩不饶！"

宋继文磕头如捣蒜："是是是，大人。"

刘统勋正颜厉色："北城的工程可是你干的？"

宋继文浑身颤抖："是，大人。"

刘统勋一指满达："你可认识他？"

"认识，认识。"

"你送他多少银子？"

"三千两。"

刘统勋又指通智："你可认识他？"

"小人认识。"

"你送他多少银子？"

宋继文往上叩头："大人，小人没，没送通大人银子。"

"真的没送？"

"真的没送。人们都传说通大人为官清廉，正直无私，小人不敢送。"

通智露出一丝得意的微笑。

刘统勋思索片刻，他指向桐花："你可给她送了银子？"

"送了。"

"送了多少？"

"一万两白银。"

通智故作镇静，他向刘统勋一抱拳："唉，刘大人，下官管教不严，致使小女收了宋继文的银子。这个畜生，我一定要好好教训她，对此，下官情愿领罪。至于归化新城地基之事，下官曾多次问过满达，满达信誓旦旦，保证按设计要求施工。下官也是过于信任属下，下官用人失察，还请大人责罚……"

申慕德暗道，这个通智真会避重就轻。

刘统勋又问宋继文："你向桐花行贿还有何人在场？"

"这，桐花的使女桐雪在场。"

刘统勋吩咐一声："带桐雪。"

桐雪上堂跪倒，刘统勋喝问："桐雪，把你对本官说的话再讲一遍。"

通智不由得一怔，难道刘统勋审过桐雪了？

桐雪向上叩头："是，青天大老爷。四年前，我家老爷奉朝廷之命前来修筑归化新城，因为我家姑老爷与小姐闹矛盾，姑老爷常年不回家，老爷就住在了我家……"

刘统勋问："你家姑老爷是何人？"

"回青天大老爷，就是巴特。"

"接着说。"

"是。老爷到归化城半年后，不知从哪儿找来一伙人，他们在西厢房和正房下面挖了地道机关。自从机关挖好，送礼的人就没断过。开始我家小姐出面接待，后来小姐嫌麻烦，每次都让我去。"

"通智如何知道这些行贿者的姓名？"

"是奴婢把送礼人的姓名、银两多少和要办的事告诉给我家小姐，我家小姐记录在一个簿子上，然后给我家老爷。"

通智大惊，完了完了，这个小贱人怎么什么都说了，这可如何是好？

第二十六章

自哈珠知道宝树还活在人世的那一天起，她就盼望与宝树夫妻重逢，可去哪儿找宝树？怎么才能找到宝树？宝树还能认自己吗？

刘统勋又问桐花的簿子在哪里，桐雪摇头不知。刘统勋还没等问桐花，桐花的身子就抖成了一团。

"啪"，刘统勋一拍惊堂木："桐花，你身为官家小姐，收受不法商人贿赂，罪不可恕。你如能把受贿的簿子交出来，本官可以从轻发落，如若不然，你来看！"

众衙役把各种刑具往桐花面前一扔，桐花当时就瘫了："大人，我说，我说……我家正房下有间密室，密室里有个衣柜，衣柜靠墙的左脚下有块方砖，那簿子就压在砖下。"

刘统勋让衙役押着桐花，把簿子拿到大堂。

刘统勋翻了一遍，然后，往通智面前一扔，通智当时就傻了。

刘统勋喝道："来人！摘去他的顶戴，剥去他的官衣，打入大牢，待奏明皇上再作发落。"

刘统勋刚要退堂，门外有人高呼："大人，草民冤枉啊！"

刘统勋抬头一看，见几个军兵架着巴特走了进来。

巴特从科布多劫宝树的粮车说起，把宝丰山林木案，自己两次被削职罢官，后来夜探通智住所，落井入狱，遭色楞毒打等冤情，一一向刘统勋陈述。当然，巴特重点讲通智向自己放冷箭。

刘统勋虽然也觉得巴特有冤情，可宝树毕竟是叛将，不可能传宝树当庭作证。刘统勋权衡之后，写下奏折，把归化新城塌陷，通智贪污受贿，以及巴特的案情等，详详细细地奏明乾隆皇帝。

不久，乾隆皇帝的御笔朱批到了归化城，刘统勋打开一看，上面写道：

> 通智罪大恶极，斩立决！归化新城由刘统勋督建。色楞、满达削职为民，发配黑龙江。其他涉案人员按律判决。

乾隆皇帝对巴特只字未提，这是为什么呢？刘统勋思忖，宝丰山案也水落石出，只是巴特背后冷箭还有待进一步查证。巴特冤情已经明了，朝廷应该给巴特一个说法，可乾隆皇帝为什么没提呢？巴特两次罢官都是雍正的决定，难道当今皇上顾及先皇雍正的颜面？二次科布多战争，巴特被俘，难道乾隆怀疑巴特对朝廷的忠诚？

刘统勋摇了摇头，不想了，既然皇上已有批复，那就按皇上的旨意办。

通智的案子传遍了归化城，开始，人们都怀疑刘统勋是不是审错了，通智这么一个大好人、大清官，怎么可能贪污受贿？会不会是刘统勋和通智不和，公报私仇？甚至还有人认为是刘统勋迫害通智。可当人们看到归化各城门贴出的告示时，善良的人们终于相信了这个残酷的现实。

街头巷尾，茶馆酒肆，人们又议论开了——

"通智真是一条披着羊皮的狼，当初他装得比包公还清正，比海瑞还廉洁，谁能想到他当面一套，背后一套，外表仁厚，内藏奸诈。"

"以前我们还骂巴特丧尽天良，原来丧尽天良的是通智。我们可冤死巴大人了，朝廷应该给巴大人官复原职，平反昭雪。"

"通智贪污那么多钱财，发放归化新城民工的工钱绰绰有余，这回就无需放垦草原了……"

　　归化新城于当年秋天竣工，乾隆皇帝赐名绥远，意为安抚远方。这就是绥远城。到了清朝末年，朝廷把归化城和绥远城合并，称归绥县。1928年，绥远建省，归绥由县改市，升格为省会。日军占领期间，曾改归绥市为厚和豪特市。1954年，新中国撤销绥远省，将其合并到内蒙古自治区，归绥更名为呼和浩特，并作为内蒙古自治区首府，直到今天。

　　申慕德把归化城最好的郎中请来为巴特治伤，刘统勋也经常过问巴特的治疗情况。巴特痊愈后，巴拉把他接回沙尔沁，全家人无不对巴特的经历感到后怕。

　　太夫人慨叹道："种善因，得善果。长生天有眼哪，要不是下那十几天雨，说不定通智这个大奸臣到现在还逍遥法外。"

　　不管巴特吃多少苦，受多少罪，总算平安回来了，一家人可以平平静静、快快乐乐地过日子了。过日子不能没有女人，虽然巴特和桐花四五年没在一起，可按照蒙古人的传统，桐花仍是巴家人。

　　蒙古人的风俗是族外婚，部族内部严禁婚嫁。草原上人烟稀少，因此，抢亲十分盛行，成吉思汗的生母诃额伦就是抢来的。元代之后，抢亲之俗有所淡化，但遗风一直延续到今天。如果在一对纯正蒙古人的婚礼上，新娘突然逃走，那是不必大惊小怪的，她会留下蛛丝马迹让新郎找到她。新郎找到新娘，佯装暴力把新娘抢回家。对于蒙古人来讲，这样才被视为吉利。女人一旦出嫁，就永远属于夫家。即使丈夫死了，她也不能改嫁到别的家族，如果改嫁，只能嫁给前夫的弟弟，或是与她没有血缘关系的前夫的儿子或孙子。

　　这个传统也叫收继婚。如今通智已死，桐花无依无靠，太夫人想让巴特把桐花接回来。巴拉默不作声，巴特坚决反对。可是，巴特已经快四十岁了，人生的好时候马上就要过去了，巴特身边不能没有女人照顾。太夫人又想到了哈珠，不管哈森是不是巴特和哈珠的骨肉，两个人之间有好感是肯定的。以前他们顾及桐花，现在不存在这个问题了。太夫人窃喜，要是早点把巴特和哈珠的亲事办了，说不定明年我老太太还能再抱个大孙子。

太夫人把自己的想法一说，哈珠"扑通"就跪下了："太夫人，您老人家对哈珠关怀备至，恩重如山，可我，可我，可我不能，我真的不能嫁给都统少爷……"

　　太夫人愕然了："为什么？"

　　哈珠眼泪在眼圈直转："太夫人，我说实话吧，哈珠有男人。"

　　太夫人愣了："你男人？你男人不是被他的安答杀了吗？你不是没有亲人了吗？起来起来，起来说，到底怎么回事？"

　　哈珠站起，不说话，只是哭。

　　这时，哈森走了进来，他向太夫人问安之后对哈珠说："额吉，我爹从大库伦回来了，他说，有人给你捎来一样东西。"

　　哈森仍以汉人的习惯称李蒙富为爹。

　　说着，哈森把一个红布包捧给哈珠。哈珠擦去泪水，打开一看，见里面是一块双驼银牌。

　　哈珠手捧双驼银饰，浑身颤抖："你爹在哪儿？"

　　"在前厅。"哈森道。

　　哈珠又给太夫人跪下了："太夫人，我要马上见李大哥，我要向他问个明白！"

　　太夫人见哈珠如此激动，老人点了点头。

　　哈珠跑到前厅，哈森紧随其后。

　　一见李蒙富，哈珠就问："李大哥，这块银牌是哪儿来的？"

　　几个月前，李蒙富随东家到外蒙拉骆驼做生意，在大库伦遇到一个中年男子，男子向东家打听一个女人。李蒙富就在东家身边，他觉得男子说的女人有点像哈珠，李蒙富就与男子搭讪。男子一听哈珠的名字，他就拉住李蒙富的手，要随李蒙富一起回包头找哈珠。中年男子身边的人苦苦相劝，中年男子才把这块银牌交给了李蒙富，请李蒙富带给哈珠。还说，三个月后他在大库伦等哈珠。

　　哈珠的心都到了嗓子眼儿，仿佛一张嘴，就能蹦出来："中年男子叫什么名字？"

　　"他说他叫宝树。"李蒙富道。

哈珠"扑通"跪在地上，她仰着头："长生天，宝树还活着！宝树真的还活着！"

哈森不知怎么回事："额吉，宝树是谁？"

哈珠搂过哈森的肩："儿子，宝树就是你阿爸，你的亲生阿爸！这块银牌就是当年额吉给你阿爸的定情之物……"

哈珠不是土默特右旗二甲人，而是漠北蒙古土谢图部人，十二岁时父母双亡，土谢图汗汗妃把她收为使女。汗妃身体不好，总到喇嘛庙烧香。有一天，庙里来了个汉僧。佛教分三大系，即汉传佛教、藏传佛教和上座部佛教。喇嘛教就是藏传佛教。藏传佛教和汉传佛教同属大乘佛教，两者较为接近。

汗妃吃了汉僧的药效果不错，可停了药还是犯病，土谢图汗就把汉僧留了下来，专门给汗妃治病。可汉僧不会说蒙古语，汗妃不会说汉话。汗妃吃药之后身体有什么反应，汉僧听不懂，因此，下药时，汉僧不敢增加剂量。哈珠聪明伶俐，汗妃就让哈珠跟汉僧学汉语、写汉字，给她当翻译。经过几年的治疗，汗妃的病好了，哈珠的汉文也学会了。

哈珠十八岁那年，汗妃把她嫁给了宝树。宝树孤苦伶仃一个人，因受土谢图汗赏识，当了一名骁骑校。小夫妻甜甜蜜蜜，如胶似漆。一年后，哈珠有了身孕。然而，科布多战争爆发，宝树被征召入伍。在清营中，宝树与巴特相识。两个人情义相投，结为生死安答。后来，宝树遭通智陷害，投降了准噶尔。当时的噶尔丹策零还不是大汗，但对宝树十分信任，宝树受命押粮。巴特深入敌境，苦劝宝树反正。宝树仇视通智，感恩于噶尔丹策零，因此，不肯回归清营。宝树与巴特二人各执己见，不得已打在一起。可是，出人意料的是通智突然杀出，巴特背后中箭，宝树胸前中刀。

宝树到前敌八个月，哈珠生下哈森，土谢图汗、汗妃对哈珠还算关照。可宝树投降了准噶尔，土谢图汗、汗妃怕受牵连，哈珠只得离开汗廷。临行前，土谢图汗、汗妃过意不去，专门派人给哈珠送去一匹马，还有一些奶食品、炒米、肉干等。

哈珠抱着哈森无处投奔，就想去找宝树，劝丈夫重新回清营效命。那时，漠北还没有被划成若干个旗，各部落之间的往来也不受限制，哈珠骑着马就奔科布多去了。离科布多越近，老百姓议论前敌就越多。人们传说，巴特如何以五十人夜入敌营，斩敌主帅；如何在清军陷入重围时，夺敌帅旗，反败为胜；如何在两军阵前，箭毙准噶尔悍将，威名远播；如何以百余人劫宝树千人粮队……

听到宝树的名字，哈珠眼前一亮，她上前打听。人们出于对巴特的仰慕，就说宝树被巴特杀了。哈珠悲痛欲绝，差点背过气去。

哈珠本想一死了之，可看看怀中的哈森，又打消了这个念头。然而，仇恨就像烈火一样在胸中燃烧，哈珠决心杀巴特为宝树报仇。等到哈珠到了科布多，战争已经结束，两军都撤了。去哪儿找巴特报仇呢？听说巴特是土默特右旗人，哈珠又抱着不满一岁的哈森南下。

路上，哈珠带的东西都吃完了，没办法，她只得把马换了奶酪和炒米充饥。到了包头召时，哈珠跟个乞丐没什么两样。哈森嗷嗷待哺，哈珠还要报仇，实在没办法，哈珠牙一咬，决定把孩子送人。

李大裤衩两口子成亲多年没孩子，山西老家有"带子"的风俗，听说哈珠要把孩子送给他们，尽管两口子衣不蔽体、食不果腹，可两人还是着实高兴了一阵子。哈珠把身上仅有的两把奶酪和一捧炒米留给了李家夫妻。

哈珠又去找巴特报仇，可茫茫人海，到哪里才能找到巴特呢？后来听说包头召是巴家的家庙，哈珠就躲进了庙中。哈珠多日没吃东西，饿得头昏眼花，当见到供桌上的供品时，她饥饿难耐，抓起来就吃。

说来也巧，正赶上巴特和桐花新婚拜佛祭祖，巴特与哈珠不期而遇。哈珠乞求留在巴特身边，目的就是要杀巴特。巴特当然不知道，想到奶奶没有仆人，就把哈珠收留下来。

哈珠没敢说自己是漠北人，纯朴的巴家人没有怀疑她。哈珠暗中庆幸，这真是长生天有眼，给了我报仇的机会。然而，让哈珠没有想到的是巴家人那么宽容，那么善良。她怎么看巴特都不像是个薄情寡义、厚颜无耻的人，甚至哈珠还对巴特产生了莫名其妙的好感。

哈珠多少次想刺杀巴特，可每次都犹豫不决，尤其是巴特收哈森为徒弟，哈森一口一个阿爸地叫巴特，哈珠就更下不了手了。

巴特进京告御状丢官罢职，巴拉给桐花送重礼把巴特从狱中迎了回来。巴特觉得自己输了官司的原因是没有证人，他幻想宝树能回归清营，为自己作证。直到这时，哈珠这才知道宝树还活着。

太夫人一直想让巴特和哈珠在一起，哈珠最初不答应是为了报仇，后来不答应是因为蒙古人的传统和她对宝树忠贞不渝的爱情。哈珠不是不想把自己和宝树的关系告诉太夫人，可宝树毕竟叛国投敌，万一事情泄露出去，自己倒霉，巴家也要跟着遭殃，说不定还要连累哈森。

自哈珠知道宝树还活在人世的那一天起，她就盼望与宝树夫妻重逢，可去哪儿找宝树？怎么才能找到宝树？宝树还能认自己吗？这些问题每天都在哈珠的脑海中萦绕，没想到李蒙富从大库伦把宝树的消息带了回来。

李蒙富如梦方醒："原来是这样！"

哈珠去了前厅，太夫人把巴特叫到房中，把刚才的事告诉巴特。祖孙二人正在胡乱猜测，哈珠、哈森母子和李蒙富走了进来。哈珠把以往的经过又说了一遍，哈珠的谜底全部揭开，巴特和太夫人惊诧万分。

哈珠请老人答应她带哈森去大库伦与宝树团聚，老人虽然舍不得，还是答应了。

哈森跪在巴特脚下："阿爸，我，我不想离开你……"

巴特拍了拍哈森的肩："孩子，你是宝树安答的亲生子，哪能不认祖归宗呢？去吧，陪你额吉一起去吧。"

一个月后，哈珠、哈森扮成旅蒙商队的伙计，踏上了去往大库伦的道路。

送走了哈珠和哈森，巴特心里空荡荡的，坐也不是，站也不是。太夫人也苍老了许多，老人一袋接一袋地抽烟。

仆人来报："禀都统少爷，三少奶奶，三少奶奶她……"仆人吞吞吐吐，欲言又止。

巴特脸一沉："你要说什么？"

仆人嗫嚅道："三少奶奶……她回来了，她和桐雪在门外站了三个多时辰了。"

巴特眼睛一下子瞪了起来："她要干什么？"

"她要与都统少爷重归于好。"

巴特一脸怒容："挤出去的奶还能重新流回来吗？你去告诉她，她早就不是巴家人了，让她滚！"

"是，都统少爷。"

仆人要走，太夫人说话了："等一下。"

仆人转过身来："太夫人。"

太夫人平和地问："桐花是不是过得很清苦啊？"

"回太夫人，好像是。她和桐雪穿的是粗面衣裳，看上去十分憔悴，特别可怜。"

太夫人长叹一声："让她们进来吧。"

巴特急道："奶奶，你的气还没受够吗？"

太夫人劝导巴特："孙儿呀，按照我们蒙古人的传统，只要桐花跟你过一天，她就永远是巴家的人。我们巴家世代礼佛，佛家讲的就是宽容和忍耐。桐花受了不少苦，遭了不少罪，她已经得到教训，就不要难为她了。"

第二十七章

　　我在坐月子，怕风才求你。你不帮也就算了，竟这么横。你
是什么身份别人不知道，我还不知道吗？桐花呀桐花，你还真把
自己当千金小姐了。

　　通智案发之前，桐花什么好吃吃什么，什么漂亮穿什么，哪里好玩去
哪里，过着神仙般的日子。通智被斩，宅院被抄，桐花家徒四壁。由俭入
奢易，由奢入俭难。这么多年，桐花花钱如流水。她不会精打细算，不会
省吃俭用，不会安排家务支出。为了活命，桐花先是卖首饰，然后当衣
服，最后卖了房子。仅仅半年，桐花便身无分文，流落街头。不过，不管
桐花穿绫罗绸缎，还是破衣烂衫，桐雪一直在她身边伺候着。
　　归化城里的人几乎没有不认识桐花的，都知道她是通智的女儿，桐花
想要点吃的，人们不但不给，还向她吐痰扔石头。
　　两个人实在走投无路，桐雪就说："小姐，要不我们回巴家吧。"
　　桐花虽然想过，却难以启齿："巴家能收留我们吗？"
　　桐雪道："小姐，我觉得能。巴家世代敬佛，太夫人仁慈善良，再说，
姑老爷也没给你休书，小姐还是巴家的三少奶奶。"
　　桐雪这么一说，桐花心中燃起希望："要是巴家真能收留我，我一定
跟巴特好好过日子。"

两个人来到沙尔沁章盖衙门门前，出来进去的人很多，可谁也不理她们。从清晨一直站到太阳偏西，仆人见她们可怜，便上前问话。桐花痛哭不止，桐雪苦苦哀求，仆人动了恻隐之心，这才进去禀报。

仆人把桐花、桐雪领到上房，两个人跪在地上。

桐花一边哭一边说："奶奶，以前都是我的错，从今往后，我一定好好跟都统少爷过日子，再也不惹您老人家生气了。您就可怜可怜我，收下我吧……"

太夫人和善地说："不要哭了，都起来吧。你们的屋一直是巴特一个人住着，你们就去西厢房吧。"

桐花十分感激："谢奶奶！谢奶奶！桐花这辈子，下辈子，下下辈子也忘不了奶奶的大恩大德。"

桐花又跪在巴特面前："都统少爷，我知道对不起你，对不起巴家，今后我要是再胡搅蛮缠，你就把我赶出家门，休了我，打死我，把我千刀万剐。"

以前，桐花要么叫巴特的名字，要么叫"夫君"，称巴特为"都统少爷"还是第一次。

巴特不冷不热地说："羊能不吃草吗？狼能不吃肉吗？狗能不吃屎吗？"

桐花一边磕头一边说："都统少爷，我改，我一定改，我什么都听你的，我情愿给你当牛做马。我要再像以前那样，雷劈死我，水淹死我，狼咬死我……"

太夫人磕了磕烟袋："好了，不要发这么毒的誓了。放下屠刀，尚能立地成佛。人生在世，谁没有错，知错改了就好。你和桐雪还没吃饭吧？叫厨房给你们做两个菜。"

桐花、桐雪离开上房。太夫人把锡兰叫来，老人嘱咐她给桐花和桐雪找几件衣服，各房管好各房的人，谁也不许对桐花说三道四，更不许给桐花脸色看。锡兰一一安排。

雄鸡报晓，东方发白。"当当当"，上房又传来太夫人那熟悉的铜盂声，巴家人纷纷起炕穿衣，主仆各负其责，静谧的巴家喧嚣起来。

巴特睁开眼睛时，桐花已经穿好了衣服，她对巴特说："夫君，哈珠走了，奶奶一直没有合适的人伺候。桐雪很会服侍人，让桐雪过去伺候奶奶，你看行不？"

桐花也知道关心奶奶了，巴特心里挺舒坦。

桐雪来到上房，太夫人正在穿衣服，听到脚步声，老人道："哈珠回来了！"

桐雪走上前，微笑道："太夫人，是桐雪。小姐让桐雪来伺候您老人家。"

太夫人怅然若失："刚才我做了个梦，梦见哈珠回来了。唉，人老了，糊涂了。哈珠走了，找自己的男人去了，再也不回来了。"老人自言自语。

桐雪安慰老人几句，然后把老人的被褥叠起，服侍老人洗脸、梳头、装烟、穿鞋。

日久天长，桐雪渐渐地取代了哈珠，太夫人脸上又有了笑容。

这天晚上，巴拉和巴特来到上房请安时，老人对桐雪赞不绝口："像，像，桐雪像哈珠。"

奶奶高兴，巴拉和巴特兄弟二人当然也高兴。

太夫人神秘地对巴特说："以前奶奶还真没注意，现在越看桐雪越像哈珠，长得像，走路像，说话也像。"

人生最大的不幸是婚姻不幸，人生最大的幸福是婚姻幸福。多年来，对三弟巴特的婚姻，巴拉十分自责。如果当初不是自己强行做主，巴特不可能娶桐花。自从桐花进门，巴特的磨难一个接一个。以前，奶奶喜欢哈珠，盼望巴特娶哈珠，现在又一个劲儿地夸桐雪，其中的用意谁都听得出来。是啊，老三都四十岁了，哈森也跟哈珠回漠北了，桐花不能生，老三不能没有自己的孩子。

巴拉试探着说："奶奶有想法了？"

太夫人脸上都是笑："桐雪这丫头真好，勤快，懂事，会照顾人，善解人意。奶奶让道尔吉给算过了，桐雪命中旺夫多子，要是巴特把桐雪收做偏房，没准儿很快就能抱上儿子。"

巴拉连连点头，但他不敢再替三弟做主了。可是，巴拉也想，这么多年，桐雪一直服侍桐花，桐花也不给桐雪找个男人，难道桐花想让桐雪服侍她一辈子？太夫人说，她问过桐雪，桐雪说，桐花舍不得把她嫁人。

那个年代，像巴特这样的年龄，孙子都满地跑了，可他连个亲生儿子都没有。巴特也很着急，他也动过纳妾的念头。从心里讲，巴特对桐雪的印象不错，通智当钦差时，她谦卑；通智被杀后，她恭顺。从不像有的奴才，主子得势时飞扬跋扈，主子失势后低三下四，桐雪一如既往，对谁都那么和气。

太夫人征求巴特的意见，巴特含糊地说："这，这行吗？"

太夫人道："男人一妻二妾很平常，有什么不行？一会儿，奶奶跟桐花说说，我想桐花不会反对的。"

太夫人把这件事跟桐花一说，桐花愉快地接受了。跟桐雪一说，桐雪也含羞地点了点头。

巴拉和巴特到家庙包头召拜佛祭祖，请道尔吉喇嘛选良辰，择吉日。很快，巴特和桐雪的亲事就办了。两个人成亲一个多月，桐雪怀孕了。巴家欢天喜地，太夫人更是合不拢嘴："老太太我又要添重孙子了喽！"

巴特喜不自禁："奶奶，还不知道是男孩还是女孩呢。"

太夫人脸一沉："谁说的？奶奶我一看桐雪走路的姿势就知道是男孩。"

锡兰也在一旁帮腔："就是，奶奶说得可准了，我生了五个，奶奶说男就男，说女就女，都神了。"

巴特四十岁出头，桐雪三十五六岁，一个头一次当父亲，一个头一次当母亲，幸福的心情无以言表。早晨起来，两个人说的第一句话是孩子，晚上睡觉前的最后一句话也是孩子。一天到晚，孩子长，孩子短。

桐花心里很不是滋味，她暗恨自己的肚子不争气，人家桐雪一过门就有了，可我这么多年，就是怀不上。女人没有孩子，哪有地位？一旦桐雪把孩子生下来，谁还能把我当回事？

十月怀胎，一朝分娩。虽然桐雪年龄挺大，可还算顺利。

太夫人来到西厢房，脸上的皱纹都舒展开了："哟，我的重孙子，小宝贝又白又胖又俊，跟你阿爸小时候一模一样，简直就是一个模子刻出来的。"太夫人吩咐锡兰："快，把红布拴上，把腰刀挂出去，这可是巴特的第一个孩子，告诉家里人，谁也不要在西厢房窗前走。"

土默特蒙古人对新生儿是有讲究的。据说，孩子出生百日之内魂魄很不安分，常常游离孩子身体之外躲在窗下。如果有人从窗前走动，就会把孩子的魂魄吓跑。孩子丢了魂魄，也就没了性命。人可以约束，恶鬼却不受人控制。红布可以驱鬼，腰刀可以诛鬼。因此，土默特部蒙古人家生了孩子，往往要在产妇的房门外和窗户上拴红布、挂腰刀。

锡兰早就准备好了，她亲眼看着仆人把红布拴好，把腰刀挂好。

太夫人对躺在炕上的桐雪说："雪儿呀，你给巴家立了大功，给巴特立了大功。今后，巴特要敢欺负你，你就告诉奶奶，奶奶用大烟袋敲他的头！"

太夫人亲热地叫桐雪为雪儿。

桐雪虽然很疲惫，但精神状态很好："奶奶，都统少爷对雪儿十分体贴，从不欺负雪儿。雪儿更不敢贪功，生儿育女本来就是女人的本分，只要奶奶高兴，明年雪儿再给奶奶生个重孙子。"

听了桐雪的话，太夫人仿佛掉进了蜜罐里。

然而，桐花却如芒在背，如鲠在喉，"生儿育女本来就是女人的本分"，这是说我没尽本分哪！怎么着，桐雪，指桑骂槐是不是？我玩的把戏你都学会了？生个小崽子就了不起了？就忘记自己的身份了？告诉你，我是正室，你是偏房！而且，你还是我的奴才！

桐花对太夫人也不满，巴特对我跟一块冰似的，他骂我，欺负我，可你老太太从没对我说过这么热乎的话，却为桐雪这么个奴才撑腰！巴家这个规矩，那个规矩，怎么就没有替我做主的规矩？桐花很想申斥桐雪，发泄心中的怒气，可如今的她已经不是从前的她了，她再也不敢自称什么朝廷一品大员的女儿、正黄旗满洲了。桐花张了张嘴，把话咽了回去。

西厢房有十几间，桐花和桐雪各住两间。巴特平时很少到桐花房里来，如今更是整天在桐雪的房中不出来。晚上，桐花一个人躺在炕上，她翻来覆去睡不着。巴家人把桐雪都要捧上天了，我就差被踩进地狱了。没人管，没人理，没人问，仿佛我在这个家根本不存在。老天爷怎么这么不公平，我也是女人，为什么不让我也生个孩子？我就这么认命吗？我就这么被他们冷落吗？我就这么让桐雪那个奴才欺负吗？

桐花猛然想到拴挂在外面的红布和腰刀，红布和腰刀真的那么灵吗？没有红布和腰刀，桐雪的孩子就会丢了魂魄吗？这孩子可是我的克星啊！

桐花悄悄地爬了起来，她轻轻地推开房门。群星闪耀，夜凉如水。桐花蹑手蹑脚地来到桐雪的房门前，见四下无人，她伸手把红布和腰刀取了下来。桐花俯身走到院墙边，用力一甩，腰刀扔出墙外，可红布太轻，没扔出去。桐花又找来石子，把红布裹在石子上，这才抛了出去。

鸡叫头一遍时，桐雪的房中传来孩子的哭声，哭声断断续续，直到天亮。

桐花幸灾乐祸，她来到桐雪房中："桐雪，我听这孩子哭了半宿，你可得好好哄哄，别哭坏喽。"

月子里的产妇情绪不稳定，孩子哭了快两个时辰，桐雪通身是汗，她随口道："我这不是在哄嘛。"

巴特也很烦躁，他向桐花一甩手："行了行了，你也没生过孩子，你知道什么！"

两个人一人一句，没把桐花的肺气炸了，嘿，这两个狗男女，都冲我来了，我招谁惹谁了……哎，你还别说，腰刀和红布还真灵！难道恶鬼真来了？恶鬼带走了那孩子的魂魄？好！太好了……桐花暗中庆幸。

太夫人披着衣服走了进来："雪儿，孩子怎么了？"

桐雪抱着孩子左右摇晃："奶奶，不知咋的了，这孩子给奶不吃，哄也不行，就是哭。"

锡兰推门而入："他三伯伯，外面的腰刀和红布哪儿去了？"

太夫人几步出了房门，巴特、锡兰、桐花也跟了出来。

巴特房前房后寻找，太夫人急道："别找了，别找了，快！再拿把腰刀，再找块红布，马上挂出去。"

锡兰应声而去。

桐花假惺惺地说："是不是没拴住，被风吹走了。昨晚好像刮了一阵风。"

巴特抢白道："得得得！风能吹跑红布，能吹走腰刀吗？"

桐花不再说话了。

锡兰重新取来腰刀和红布，太夫人再三叮咛，一定要把腰刀绑好，把红布拴紧。老人相信，腰刀和红布一定能镇住恶鬼。巴拉还专门叫仆人守夜，告诉他们看好西厢房的腰刀和红布。

两天以后，孩子果然不哭了。

土默特蒙古人对孩子起名非常重视，有钱、有地位的大户人家，父母长辈是不给孩子起名字的，都是在孩子满月那天，摆上酒宴，请庙里的喇嘛为孩子起名、诵经，亲朋好友一同前来祝贺。

孩子马上就要满月了，道尔吉喇嘛觉得自己的道行尚浅，他带着巴特专程去了一趟归化城的大召，邀请那里的住持喇嘛来为孩子起名字、做法事。

大召汉名原叫"弘慈寺"，后改为"无量寺"，是巴氏家族祖先明代土默特部落首领阿拉坦汗主持建造的，是归化城最早的喇嘛教寺院，也是少有的不设活佛的寺庙。据说，康熙皇帝曾住跸在此，为了表示对皇帝的尊敬，僧侣们取消了活佛转世。

西厢房。桐雪给孩子喂奶，孩子却哭了起来，桐雪打开襁褓，见孩子尿了，她想给孩子换尿布，可身边一块干的也没有，都在外面晾着。桐雪想出去拿，见外面刮着风，风中树叶飘零。

自从桐雪服侍太夫人，桐花开始学着自己洗衣服。桐雪过意不去，总是把桐花脱下的脏衣服洗干净再送过去。桐雪怀孕后，太夫人说桐雪年龄太大，必须好好保胎，什么活也不让她做，桐花的衣服只有自己洗了。

见桐花在收自己晾干的衣服，桐雪透过玻璃赔笑："小姐，孩子的尿布没了，外面风大，能帮我拿两块吗？"

桐花勃然大怒，但她没敢高声："拿尿布？那东西又骚又臭，你居然让我拿！谁是主子？谁是奴才？谁是正室？谁是偏房？"桐花屁股一扭，转身回房，"咣当"，门重重地关上了。

桐雪很不痛快，这么多年，我一直把你当主子伺候着，就连你例假的内裤都是我给洗。我在坐月子，怕风才求你。你不帮也就算了，竟这么横。你是什么身份别人不知道，我还不知道吗？桐花呀桐花，你还真把自己当千金小姐了。

桐雪转念一想，算了，反正再有几天就要满月了，自己的身体一直不错，外面有风也应该没事。桐雪放下孩子，围上头巾，推开门，顶着风，取回尿布。

孩子满月这天一大早，院里摆好了钟鼓铙钹等法器，大召的住持喇嘛给桐雪的孩子起名叫扎布。扎布是藏语，吉祥的意思。道尔吉等二十几个喇嘛一起为小扎布诵平安经。巴特和桐雪招呼亲朋好友，酒宴从中午一直吃到傍晚。

客人逐渐散去，巴特和桐雪回到西厢房，女仆迎上前，笑盈盈道："都统少爷、三姨奶奶，小主人还睡着，睡得可香了。"

巴特和桐雪见小扎布静静地躺在炕上，两个人都悄悄地凑了过去。

巴特望着孩子低声说："小扎布，小宝贝，小乖乖，知道阿爸和额吉给你过满月，你就睡得这么香，是不是？"

桐雪满脸都是幸福，她也对孩子说："小扎布今天出息了，额吉中午喂一次奶你就睡到现在，宝贝知道心疼额吉了，长大了，是不是？行了，别睡了，起来吧，额吉给你吃奶。"

桐雪抱起孩子，刚要解自己的衣服，突然发觉不对，平时孩子的身体跟面条一样软，现在却跟木棍一样硬。

桐雪惊呼："扎布！扎布……"

桐雪声音颤抖，语调惊恐，仿佛夜里撞到恶鬼一般。巴特跑出去叫大姐吉锡兰，锡兰从桐雪手中接过孩子，用手一摸，孩子的身体已经凉了。

第二十八章

　　自己追逐高官厚禄二十余载，总认为官越大越幸福，钱越多越快乐，现在想起来，完全不是那么回事。还是古人说得好，钱财是身外之物，功名利禄都是过眼烟云……

巴特和桐雪眼睛都盯着锡兰，目光中流着无限的期盼。

锡兰无力地说："孩子，走了……"

巴特栽两栽，晃两晃，他扶住炕沿，才没倒下去，不可能！这怎么可能？中午雪儿还给扎布喂过奶的呀！

桐雪一把夺过孩子，她一声比一声高："孩子，孩子！扎布!!扎布……"

锡兰的眼泪流了下来："雪儿，不用叫了，孩子叫不回来了……"

桐雪身子一软，瘫在地上，但她紧紧地搂着孩子。

巴特如遭晴天霹雳，他歇斯底里地大叫："我的孩子……"

巴家顿时大乱，喇嘛经也不念了，钟鼓铙钹全停了，人们都往西厢房跑。太夫人来到西厢房，老人一见孩子已经断了气，"扑通"摔在地上。

"奶奶！奶奶！"

锡兰搀起太夫人，好半天，太夫人才上来这口气："长生天，佛祖，巴家到底做了什么孽呀！"

大召的住持和道尔吉喇嘛分开人群来到孩子近前，桐雪抱着孩子，跪在住持脚下，不住地叩头，头磕出了血，流在脸上，可她浑然不知。

"圣僧，大师，求求您救救我的孩子，救救我的孩子……"

住持把桐雪虚扶而起，一边念着"阿弥陀佛"，一边接过孩子。住持把孩子放在炕上，屋里鸦雀无声，人们都盼望奇迹发生。见住持打开孩子的小被，解开孩子的衣服，一双手从孩子的头摸到脚，又从脚摸到头。

住持闭了一下眼睛："孩子已走多时，老僧无力回天了。"

道尔吉喇嘛也把小扎布从头到脚、从脚到头摸了一遍，他的眉毛拧着，轻轻地摇了摇头。

桐雪一下子就背过气了，人们把她抬到炕上，锡兰和几个女眷抚前胸，捶后背，不停地呼唤桐雪的名字。桐花在一旁手足无措，身子微微发抖，脸色一阵红，一阵白，一阵紫。

巴特抓住住持的双肩："大师，请您告诉我，孩子得了什么病？"

住持看了看道尔吉喇嘛，道尔吉喇嘛看了看住持，两个人相互点了点头。住持表情凝重："孩子喉管断了，应该是被人掐的！"

巴特脑袋"嗡"的一声，眼睛一下子就立了起来，他的手都要扣进住持的肉里了："大师，您说什么？"

道尔吉喇嘛推开巴特的手："老三，大师说的是真的，小扎布是被掐死的。"

巴特牙咬得"咯嘣嘣"直响，眼角都要瞪裂了，他的五官如同庙里发怒的金刚。巴特的目光在人群中搜索着，他一眼看见了那个女仆，一个饿虎扑食揪住女仆的衣领。

巴特的脸都变形了："是不是你掐死了我儿子？"

女仆差点没吓死："都，都，都统少爷，巴，巴，巴家对奴婢恩重如山，长，长，长生天作证，奴婢，奴婢精心看护小主人，没有掐……"

巴拉还是理智的，他掰开巴特的手，女仆一屁股坐在地上。

巴拉俯下身，问女仆："我知道不是你干的，你告诉我，谁进了这个屋？"

女仆想了想，她睁大眼睛："三，三，三少奶奶！三少奶奶来过！三姨奶奶给小主人喂完奶，小主人睡得很香，奴婢出去小解，回来发现三少奶奶从屋里离去。奴婢还向三少奶奶问了安。"

桐花就站在墙角,巴特"啪"的一声揪住她的头发:"你为什么掐死我儿子?"

桐花拼命挣扎:"我没有,我没有,我没进这个屋……"

女仆十分肯定,她手指桐花:"是三少奶奶!就是三少奶奶进了这个屋。"

桐雪猛然醒了,也不知她哪来的一股劲儿,一下子蹦到地上,她疯一般掐向桐花的脖子:"你为什么害死我的孩子?为什么?为什么?……"

桐花声音模糊:"我没有,我没有……"

桐雪泪流满面:"我跟了你二十六年,你是什么货色我还不知道吗?你说!你说!!你为什么害死我的孩子!!!"

巴特喝道:"你说!不说我就打死你!"

桐花的脸憋得跟羊肝一般,喉咙难以发声,她不住点头。巴特和桐雪的手都放开了,桐花趴在地上:"我,我,见桐雪屋里没人……我,我一时糊涂……我,我是鬼迷心窍……"

巴特怒发冲冠:"你居然对一个婴儿下手!你这个恶鬼!"

"咣",巴特一脚踹向桐花,桐花一溜滚儿,撞开了屋门。

"咣",巴特第二脚踢出,桐花重重地摔在院子中间。

"咣",巴特第三脚踢出,桐花从墙头上飞出巴家大院。

桐雪又昏了过去,住持和道尔吉喇嘛全力抢救。锡兰把太夫人搀进上房,叫人好好照顾老人,她回到桐雪房间。

二更时分,桐雪慢慢地睁开眼睛。

锡兰劝道:"雪儿,不要过度伤心,你年龄还小,你和他三伯伯还能再生,说不定明年能生一对双胞胎,你可一定要往开处想啊!"

桐雪无动于衷,她望着巴特:"都统少爷,我,我……"

巴特把桐雪抱在怀中,桐雪握着巴特的手,语无伦次:"……扎布太小了,他要走很远很远的路。路上有恶鬼,扎布会害怕的;路上还有桐花,她会欺负扎布的……孩子不能离开额吉,雪儿要去照顾小扎布,都统少爷,雪儿不能陪你了……"

巴特在战场上杀敌无数，从没眨过眼睛，可此时的他泪如泉涌："雪儿，你不要这样，不要啊……"

桐雪气息很弱："都统少爷，雪儿虽然是你的偏房，可你对雪儿知冷知热，知疼知爱，雪儿没白来人世一趟。雪儿走前要把所有的秘密告诉都统少爷。"

巴特的脸贴着桐雪的脸庞："不，我不听什么秘密，我要你做我的正室夫人，我要你永远在我身边，咱们生好多好多孩子……"

桐雪神情木然地摇了摇头："都统少爷，桐花不是通智的女儿……"

屋里的人全呆了，巴特更是呆若木鸡："她是谁?"

桐花本是汉人，父亲姓张，是山东济南府的一个猎户。桐花和那时的大多数女孩一样，没有名字，父母就叫她大丫头。大丫头十三岁那年，张父被狗熊扑伤，回家没几天就死了。中原女人都是小脚，小脚女人抓鸡都困难，没有男人无法生活。张母忧郁成疾，不久也去世了。大丫头无家可归，只得投奔叔叔。叔叔生活也不好，多了大丫头这张嘴，家中更艰难。大丫头本来是缠足的，可叔叔婶子连糊口都成问题，哪有工夫管她的脚。这使桐花成年后，她的脚比缠足的大一些，比没缠足的小一些。大丫头的脚放开了，她每天乱跑，东家要块饼子，西家要碗饭，甚至还偷人家的东西。人家找到叔叔，叔叔把她痛打一顿。大丫头跑了，结果被人贩子卖到锦州城。

桐雪也是汉人，姓周，是河间府人。桐雪从小父母双亡，一直跟爷爷过日子。在桐雪的记忆里，爷爷叫她六丫头，她上面应该还有五个姐姐，可那五个姐姐是谁，六丫头一无所知。只记得十岁那年，爷爷病重而亡。六丫头四处流浪，后来也被人贩子卖到锦州。

当时，通智是锦州守城的一个九品小吏，锦州知府下令全城搜捕人贩子。在追查人贩子时，通智发现臭水沟边的大丫头和六丫头，就把这两个女孩领到自己家中，并给两个孩子起了名字——桐花、桐雪。

桐花、桐雪终于可以吃饱饭了，两个孩子以为遇到了大恩人，没想到通智心生歹意，一天夜里，他把桐花奸污了。桐花又哭又闹，通智连哄带骗，甚至威胁要把她卖到妓院。慑于通智的淫威，桐花成了通智的小妾，桐雪就成了桐花的使女。三年后，通智随军奔赴科布多战场。科布多战事结束，通智回到家中，他把桐花当成女儿嫁给了巴特，桐雪成了陪嫁丫头。

桐花虽然叫通智阿玛，但两个人奸情既已存在，就无法改变，何况桐花那么漂亮。在赴宁夏治水途中，通智专程到沙尔沁与桐花鬼混。那一夜，巴特以为通智、桐花父女情深，他做梦也没想到通智和桐花是一对奸夫淫妇。

后来，通智以钦差身份到归化城，他利用修建绥远城之便，在桐花宅子的地下筑了多间密室。不光西厢房下有密室，正房下面也有。巴特多次夜探这所宅院，都没有发现通智的踪影。其实，通智就在密室，每天夜里，他和桐花都在正房下的密室里淫乐。

巴特以头撞墙："我当初就觉得通智把桐花嫁给我没安好心，原来他们竟是一对狗男女！他们一起来害我，害巴家……"

巴拉抱住巴特的头，满面泪痕："老三哪，都是大哥害了你，当初如果不是大哥强行做主，你也不会把桐花娶进门。大哥对不起你呀……"

巴特痛苦难当："大哥……"

桐雪目光呆滞："都统少爷，你听，小扎布在哭，小扎布在哭啊！小扎布饿了，小扎布一定饿了……雪儿要去给扎布喂奶，雪儿走了，雪儿走了，走了……"

桐雪头一歪，气绝身亡。

巴特大呼："雪儿！雪儿！……"

正在这时，女仆跑了进来："章盖少爷，大少奶奶，太夫人不行了！"

巴拉、锡兰以及大召的住持和道尔吉喇嘛一同奔向上房。老人两只眼睛睁着，但无论怎么呼唤，老人没有丝毫反应。

住持的手触在老人腕上，发现老人的脉搏已经停止了跳动："阿弥陀佛，罪过，罪过……"

雪花飘落，一片，两片，三片……无数片雪花给大地穿上白纱，沙尔沁章盖衙门都被罩在其中。几只乌鸦在树上发出"呱呱"鸣叫，天地之间仿佛只剩了两种颜色，一白，一黑。

太夫人、桐雪和小扎布三人同时天葬。归来途中，道尔吉喇嘛发现路旁的树上吊着一人。道尔吉喇嘛和巴拉、巴特停下车，三人来到树下，原来是桐花。尽管巴家人憎恨桐花，但兄弟三人还是把她解了下来，天葬。

　　巴拉是世袭章盖，锡兰是管家媳妇，可是夫妻俩在巴氏家族中辈分并不高，他们上面还有几个伯伯。要管理这么一大家子，巴拉和锡兰无法放开手脚，何况巴拉还有衙门里的事务。树大分枝是必然的。与其产生矛盾再分家，不如现在就和和气气地把家分了。

　　几房伯伯婶子也同意巴拉的看法，锡兰把所有的账本拿出来公布于众。对巴氏家族的财产和牧场，不论大小老少，人人有份。

　　巴特单身一人，只能随大哥大姐吉一起过。巴拉给巴特娶了两房夫人，三年后，两房夫人给巴特生了两儿两女四个孩子。巴特太喜欢孩子了，他放下这个，抱起那个，脸上像花儿一样灿烂。

　　什么是幸福？这才是幸福。什么是天伦之乐？这才是天伦之乐。自己追逐高官厚禄二十余载，总认为官越大越幸福，钱越多越快乐，现在想起来，完全不是那么回事。还是古人说得好，钱财是身外之物，功名利禄都是过眼烟云……

　　巴特不禁想起哈珠和哈森，这对母子现在怎样了？他们和宝树安答在一起也一定是和谐美满、幸福快乐吧。

　　"丁零丁零"，一阵马的威武铃声传来，两个身着黄马褂的人来到章盖衙门门前。当值的军兵一愣，看他们的穿着，应该是皇宫里的侍卫，皇上派人到巴家又要干什么？

　　两个黄马褂风尘仆仆，一个是方脸的，一个是圆脸的。当值的军兵上前打千儿，两个黄马褂跳下马还礼，方脸的道："请问，土默特右旗前副都统巴特巴大人住在这儿吗？"

　　见黄马褂这么客气，军兵连连点头："正是，请问大人是……"

　　圆脸的道："恭喜你家大人，皇上有旨，巴大人官复原职，请他出来接旨吧。"

　　军兵立即往里通禀。巴拉带着锡兰，巴特带着两位夫人，一家人迎出衙门。巴特、巴拉等人都跪下了。

方脸的黄马褂手捧圣旨："奉天承运，皇帝诏曰：巴特文武兼备，战功卓著，前者遭奸人之陷害，被削为民，今事已澄清，着将巴特官复副都统之职，择日赴任。钦此。"

方脸的黄马褂读完了，巴特却没动。

巴拉捅了一下巴特："老三，还不接旨？"

巴特往上磕头："二位大人，草民数载没有习文练武，文章、武艺都已荒废，恐有负圣望，不敢担此大任。"

锡兰和巴特的两位夫人都莫名其妙，巴拉更是意外："老三，你胡说什么？这是光宗耀祖的大好事，快接旨！"

两个黄马褂相互看了看，方脸的对巴特说："巴都统，你不接旨就是抗旨不遵，那可是欺君之罪。还是先接旨，有什么想法，再给皇上上折子吧。"

巴特不情愿地把圣旨接到手中，他捧过头顶："谢主隆恩。"

命运就是这么捉弄人，想当官的时候，两次被罢免，不想当官的时候，偏偏皇上下旨。在巴拉、锡兰以及两位夫人的劝说下，巴特只得带着家眷到归化城赴任。

土默特右旗仍管理蒙民事务，其境内的萨拉齐厅还是管理汉人事务。在其位，谋其政。巴特组织练兵，清查牧场，兢兢业业，恪尽职守。在巴特的治理下，土默特右旗百姓安居乐业，丰衣足食。不但如此，土默特右旗和萨拉齐厅一蒙一汉两个官府也是处得和谐融洽，蒙汉经济相得益彰，土默川平原一片祥和。

我国古代的退休叫致仕，清朝的致仕因职务的不同而不同，比如，正三品的参将五十四岁致仕，从三品的游击五十一岁，正四品的守备四十八岁，正五品的千总以及正七品的把总四十五岁，等等。巴特身为正二品，应该六十岁致仕。巴特算计着，再过几载就可以颐养天年了。

巴特想得挺好，哪知科布多又出事了。二战科布多，噶尔丹策零把清军打得落花流水。双方划定疆域，相互通商，互不侵犯，清朝和噶尔丹策零都严守协定。哪知，准噶尔政权更替，新可汗对大清虎视眈眈，一场恶仗正等着巴特。

第二十九章

巴特暗道不好，这肯定是一场鸿门宴，我去还是不去？不去，那对宝树安答一家极其不利；我去，那必是龙潭虎穴！

1745 年（乾隆十年），准噶尔汗国爆发天花瘟疫，噶尔丹策零在都城伊犁染病去世。噶尔丹策零可汗是准噶尔汗国的鼎盛时期，历史又一次证明了一个道理：盛极必衰。

噶尔丹策零死后，其嫡子继位。嫡子怎么看他的庶兄都像奸臣，他和心腹大臣密谋诛杀庶兄。哪知他还没动手，就成了庶兄的刀之下鬼。无论是噶尔丹策零的嫡子还是庶子，两个人都是杀人不眨眼的魔头。

庶子屠弟，攫取汗位，可屁股还没坐热，另一个蒙古贵族与阿睦尔联手，把庶子宰了。阿睦尔把这个贵族扶上汗位，哪知这位贵族大搞卸磨杀驴运动，他当上可汗没几天，就向阿睦尔举起屠刀。阿睦尔发现情况不妙，一路狂奔，不远万里跑到北京城，拜在乾隆皇帝脚下。

清朝与准噶尔汗国打打停停八十多年，双方一直处于搁置争议，共同开发阶段。阿睦尔的到来，使乾隆看到了希望，乾隆皇帝以超高规格的礼遇接待阿睦尔，并封其为亲王——王中最高的一等。阿睦尔感激涕零，在他的带领下，清军长驱直入，占领了准噶尔汗国都城伊犁。

准噶尔汗国的主体原是四个部落的联盟，几百年来，厄鲁特部落一直是盟主。乾隆皇帝想到太祖努尔哈赤的话：天上的云合则成雨，蒙古民族合则成兵。"建众以分其势"才是上策。

清政府参照外蒙古，把四个部落的首领都封为可汗，让这四个部落各自为政，互不隶属。乾隆皇帝也想学他的爷爷康熙当年那样来个"多伦会盟"，他邀请四位可汗一同到热河（河北承德）。

现在的阿睦尔是厄鲁特部可汗，他对乾隆拆解准噶尔非常不满，准噶尔只有一个可汗，那就是我阿睦尔。如果准噶尔就这么解体了，再想立国，那将永不可能。阿睦尔越想越不对劲儿，在赶往热河途中，他又调头回去了。

从清朝来讲，分化瓦解准噶尔是对的；从阿睦尔来讲，维护准噶尔汗国的统一是对的。双方从各自利益出发，互不妥协。

阿睦尔召集准噶尔各部将军，以迅雷不及掩耳之势杀向清军。清军败出准噶尔，阿睦尔兵临科布多。

阿睦尔明白，乾隆皇帝绝不会善罢甘休，他加紧与漠北蒙古各部联系，试图共同抗清。乾隆皇帝大怒，1757年（乾隆二十二年），清军南北两路夹击阿睦尔，阿睦尔一路败退，退守伊犁城。

清军主帅兆惠率南路军多次攻城，都是损兵折将，没有进展。

巴特随北路军赶到，两军会合，兆惠召集会议，分析敌情，研究进攻策略。

兆惠道："阿睦尔龟缩城内，我军虽众，但粮草供应困难，难以久战，各位将军可有良策？"

一个副将站了起来："将军，前几次攻城失利是因为我军人马不足，如今十万大军兵临城下，我军四门进攻，遍地开花，阿睦尔必然插翅难逃。"

北路军主将提出反对意见："伊犁城池坚固，这样硬攻必然造成极大伤亡。如果久攻不下，我军粮草断绝，后果不堪设想。我建议，四门合围，三面佯攻，集中优势兵力，强攻最薄弱的一门。"

兆惠点点头："这个办法不错。南门、北门和西门本将军都发起过进攻，只有东门没有打过。"

北路军主将说:"那就打东门。"

兆惠若有所思:"东门有两员守将,他们是一对父子,父亲叫宝树,儿子叫哈森。两人文武双全,骁勇善战,治军有方。尤其是哈森,在我军追杀阿睦尔时,哈森多次设伏,阻击我军。"

巴特一听宝树、哈森父子把守东门,不由得眼前一亮:"将军,宝树是我的安答,哈森是我的义子。"

兆惠闻言大喜:"巴将军如能劝宝树、哈森父子归降,那将为我大清立下不世之功。"

巴特既然道出与宝树、哈森的关系,就想劝他们父子归降,然而,他信心不足。一战科布多,通智贪宝树战功,把宝树推到准噶尔一边,巴特苦劝宝树反正未果。二战科布多,准噶尔可汗噶尔丹策零不惜以自己为诱饵,引巴特上钩,宝树用三道绊马索将巴特抓获,宝树劝巴特和他一起为准噶尔汗国效命,巴特好不容易才逃出来。现在劝降宝树能有多大希望呢?

蓦然间,哈珠在巴特脑中一闪。看来,哈珠、哈森和宝树安答他们一家人团圆了,他们一定过得很好。对了,哈珠当年也曾想劝宝树安答反正。还有哈森,自己和哈森既有父子之情,又有师徒之义。巴特对哈珠和哈森母子倒有几分把握。

可想到当年马尔滚等人投降准噶尔,朝廷缉拿他们的家属,男人发配从军,女人收为官奴,巴特不禁皱起眉头。宝树多年为准噶尔效命,杀了不少清军,就算哈珠、哈森母子能够促使宝树反正,可是,朝廷会宽恕他们一家吗?

巴特把自己的想法一说,兆惠沉默了,这么重大的问题,不是他能做主的。兆惠下令,暂时对伊犁城围而不攻。他给乾隆皇帝写了一道六百里加急奏疏,详细讲明了宝树一家人的情况。乾隆皇帝很快做出批复:如果宝树、哈森能够献城,不但他们父子官升一级,还将加封达尔罕贝子爵位,世袭罔替。

有了皇上的承诺,巴特心里踏实多了,可怎么才能和哈森见面呢?

自从清军打到伊犁城下,宝树和哈森父子衣不解带,吃在城上,睡在城上。

清晨，一个军兵跑来："启禀宝树将军，清军一夜之间不知去向。"

宝树、哈森父子急忙来到城头，果然，清军一个人影也没有了。父子二人很是蹊跷，他们马上向阿睦尔禀报。阿睦尔也很纳闷，清军搞什么诡计？阿睦尔命宝树出城查看敌情，哈森在城门巡查。军兵放下吊桥，打开城门，宝树带一支人马走了。

春风拂面，冰雪消融，阳坡上的草已经吐出了新芽。哈森正在城门张望，一支贩粮的驼队朝东门而来，每只骆驼都驮着箱子、袋子。哈森一阵冷笑，清军刚刚撤走，就有人卖粮食，这其中一定有诈。

哈森下令，弓箭手对准驼队——

"站住！再往前走就开弓放箭了！"

驼队停了下来，驼队中闪出一个老者，老者向哈森高呼："对面是哈森将军吗？"

哈森往前一看，他愣了，这不是自己的义父巴特嘛！

哈森紧走几步跪在巴特面前："阿爸！"

巴特把哈森搀了起来："阿爸远道而来，是不是该把阿爸请到家里坐坐呀？"

"阿爸，家里请！家里请！"

宝树、哈森父子住在一起，他们的府宅就在东门附近。哈森安排军兵把守城门，他把巴特领到府上。

一进院，哈森就像孩子一样高喊："额吉，额吉，阿爸来了！阿爸来了！"

哈珠以为是宝树回来了，可抬头一看，见是巴特，哈珠又惊又喜："都统少爷，真是你吗？这不是做梦吧？"

巴特的心一热："姐吉，我都快六十岁了，还叫我都统少爷？"

哈珠有点不好意思，她忙改口道："巴特兄弟，快快快，里面请，里面请。"

双方寒暄几句，哈森就问："阿爸，你来伊犁，不是贩粮吧？"

巴特直言相告："我是来劝你们一家反正，归顺朝廷的。"

哈森皱了皱眉："归顺朝廷？阿爸，雍正皇帝两次将你削职为民，你在大狱中差点丢了性命。朝廷如此刻薄，你还要为朝廷卖命？"

自从太夫人、桐雪和小扎布离去，巴特就把官场看淡了，可爱国之心没有改变。天下兴亡，匹夫有责。何况一个文武全才的巴特？巴特两次被罢官，他也怨过，也恨过。可是，阿睦尔挑唆外蒙古叛乱，试图分裂大清，破坏国家的统一，这是每个大清子民都不能容忍的。当年宝树虽遭通智迫害，可通智毕竟得到了应有的下场，如今该是一家人回到祖国怀抱的时候了。巴特还把兆惠如何重视宝树、哈森父子，如何给朝廷上奏疏，以及乾隆皇帝在奏疏上的批复说了一遍。

哈森沉吟半晌才说："阿爸说得有道理，我们也听说，当今天子乾隆的心胸像草原一样宽广，可是，阿睦尔可汗对我们父子非常器重，让我们父子背叛可汗……"哈森没有说下去。

巴特郑重地说："这不是背叛，是弃暗投明，是游子回家。当年噶尔丹策零救过宝树安答的命，救命之恩，天高地厚。宝树安答报答噶尔丹策零我不反对，可是，现在噶尔丹策零死了，他的嫡子和庶子也死了。如果说嫡子之死与阿睦尔没关系，可庶子之死，阿睦尔就是凶手。阿睦尔不但杀了噶尔丹策零的儿子，还僭位可汗，他对噶尔丹策零可汗有杀子夺位之仇，你们父子为救命恩人的仇家效命，那才是背叛。"

一番话深深地打动了哈珠、哈森母子，但哈珠和哈森无法决断，只能等宝树回来商量。

巴特点点头："不过，事不宜迟，迟则生变。朝廷十万大军还在城外等着呢。"

哈森问："清军离城多远？"

巴特道："十里之外。兆惠将军担心强攻伊犁城会造成大批无辜百姓流离失所，所以才派我假扮粮贩子入城。如果你们一家人能献城归降，不但为朝廷立下旷世奇功，城中的百姓也可免受刀兵之苦，双方将士也将避免一场凶杀恶战……"

正在这时，门开了，阿睦尔和几个亲兵闯入，屋里顿时紧张起来。

哈珠、哈森两个人向阿睦尔以手抚胸，巴特也站了起来。

哈珠强作镇静："我去给可汗煮奶茶。"

阿睦尔坐在椅子上，他觉得巴特似曾相识，却一时又想不起来。二战科布多时，巴特和阿睦尔虽然见过面，可没有近距离接触，两个人都对对方的相貌印象不深。

阿睦尔眼睛不离巴特的脸，他只是看，就像相面一般。巴特的心一个劲儿地打鼓，浑身不自在。

为缓解气氛，哈森向阿睦尔介绍说："可汗，这位是末将的义父。"

阿睦尔迟疑一下，不冷不热地说："你们义父义子多年不见了吧？"

哈森没有撒谎："是，可汗，已经十几年没见面了。"

阿睦尔道："那一定有很多话要说，我就不打扰你们了。"

哈珠把煮好的奶茶端上来。阿睦尔一口没喝，而且，连巴特的名字也没问，就迈大步离开了。

阿睦尔明明怀疑巴特，可他什么也不问，什么也不说，匆匆地来，匆匆地走。巴特、哈珠、哈森三个人忐忑不安。

三个人正在胡思乱想，阿睦尔的两个亲兵来到府上，说阿睦尔设宴为巴特接风，请哈森一同赴宴。

巴特暗道不好，这肯定是一场鸿门宴，我去还是不去？不去，那对宝树安答一家极其不利；我去，那必是龙潭虎穴！

巴特把头一甩，哼，就是龙潭虎穴我也要闯！

漠西的准噶尔蒙古与漠北的外蒙古在居住上有所不同，漠西蒙古筑城建屋，当然也有蒙古包。漠北蒙古却早就没有城了，全是蒙古包。

准噶尔汗宫规模不大，但金碧辉煌，有着浓厚的西域特色。

风刮了起来，飞沙弥漫，流云翻滚，喜欢聚集在一起"叽叽喳喳"的麻雀逃得无影无踪。

巴特和哈森来到宫殿外，在军兵的引领下步入大殿。阿睦尔居中而坐，左右两排各放着十几张四尺多长、三尺多宽的桌子，每张桌前都坐着人，只有靠近阿睦尔的两张桌子空着。军兵把巴特、哈森分别带到这两张桌前就座。

酒宴开始，阿睦尔端起酒碗，却又放下了。阿睦尔对左右的将领道：

"你们有谁认识哈森将军的义父吗？"

一个人"噌"地站了起来，他手指巴特："我认识，他叫巴特！当年是土默特右旗的副都统，两次科布多战争，他都参加了，他手使三尺七寸长的大砍刀，杀了我们许多准噶尔将士。"

另一员战将也站了起来："对，就是他！他是清朝人，是清军派来的奸细！"

闻听此言，众将一个个站起，大殿之中剑拔弩张。

哈森也站了起来，他眼睛一瞪："你们要干什么？"

阿睦尔惊道："原来是巴特将军，久闻大名，今日目睹真颜，我们可要多喝几碗。"阿睦尔向众将摆了摆手，"都坐下，都坐下。不要激动，喝酒，喝马奶酒。我在北京喝过满洲人的马奶酒，他们的马奶酒有股骚腥气，特别难喝。我们准噶尔汗国是蒙古人的汗国，蒙古人酿的马奶酒才是最纯正的。巴特将军，来来来，我们一起喝酒。"

人们都坐下了。阿睦尔一饮而尽，众将也都喝了下去，哈森和巴特对视一下，两个人也干了。

阿睦尔问："巴特将军，这酒还是我们蒙古人的味道吧？"

阿睦尔弦外有音，巴特当然听得出来，他委婉地说："准噶尔气候干燥，巴特内火淤滞，口中发苦，喝不出什么味来。"

阿睦尔碰了个软钉子，不过，他没有介意："想当年，巴特将军曾以五十人夜入我准噶尔军大营，斩杀我军主帅；在战场上夺我军帅旗，使清军反败为胜；还有一次，清军与我准噶尔军对阵，巴特将军一箭射出，我军最勇猛的大将应弦落马。对了，我还听说，巴特将军劫过宝树将军的粮车，让宝树将军差点丢了性命。"

阿睦尔看了看哈森，接着说："将军威名远震，勇冠三军，不想今日来到伊犁城，我太高兴了。土默特部是圣主成吉思汗的后裔阿拉坦汗的嫡传，是我们蒙古人的骄傲。巴特将军血统高贵，是我们请都请不来的贵客。来来来，各位将军，我们再敬巴将军一碗。"

既然已经被人家认出来了，巴特索性放开了，他把酒碗一端："干！"

"干！"

桌上的人都干了，只有哈森轻轻地抿了一口，他暗暗为义父巴特捏把汗。

放下酒碗，阿睦尔又道："也许巴特将军不知道，我是圣主成吉思汗二弟哈萨尔的第二十三代孙，咱们可是同宗同源哪！"

巴特虽是成吉思汗的后裔，但到底是成吉思汗的多少代孙并不清楚。

有两个将领附和："是啊，是啊，巴特将军与可汗同宗同源，这下我们就是一家人了。"

阿睦尔捋了捋胡子："我这个人有个毛病，就是爱惜人才。如果巴将军能够屈尊，我现在就封你为准噶尔汗国的大将军。不知巴特将军能不能给阿睦尔这个面子？"

阿睦尔要劝巴特归降准噶尔，巴特将如何选择呢？

第三十章

　　包头召经历了清朝的繁荣，也经历了清朝的衰落；经历了民国的肇始，也经历了民国的败退……时至今日，这座寺院依然昂首矗立在包头市东河区的北梁上。

　　巴特一笑："封大将军就不必了，只要能在可汗帐下当差，巴特就满足了。"

　　阿睦尔一喜，莫不是巴特答应归降我准噶尔汗国了？这也太容易了。阿睦尔心有疑惑，笑容仍挂在脸上："这怎么能行，这不是太委屈巴特将军了吗？我一定要封你为大将军，现在就封……"

　　巴特一挥手："且慢！我说在可汗帐下当差是有条件的。"

　　阿睦尔问："什么条件？"

　　巴特一字一顿地说："罢兵息武，归顺朝廷。"

　　阿睦尔的脸由红而白，由白而紫。

　　巴特侃侃而谈："阿睦尔可汗也清楚，当今皇上有海纳百川的胸襟，是古今少有的明主。如果可汗归顺朝廷，我们共事明君，相亲相爱，携手并臂，共为国家出力，巴特情愿为阿睦尔可汗当个马前之卒！"

　　阿睦尔嘴角往上翘了翘："一个刀鞘能插进两把刀吗？一片草原能有两个帝王吗？你想让我高贵的蒙古人在低贱的满洲人面前俯首称臣吗？"

巴特反驳："阿睦尔可汗，当今大清国富兵强，万民乐业，这是几百年来少有的盛世。如果满洲人低贱，他们能有如此作为吗？而准噶尔连年征战，生灵涂炭，民不聊生，母亲失去儿子，妻子失去丈夫，孩子失去父亲，这样的高贵又有什么意义呢？阿睦尔可汗，放下武器，让准噶尔的百姓过几天安稳日子吧。"

阿睦尔的脸像罩了一层霜："生灵涂炭，民不聊生，这不都是满洲人造的孽吗？如果清军不进犯准噶尔，百姓的日子会这么苦吗？"

巴特话语铿锵："如果大清不出兵帮你，你能当上可汗吗？可你当了可汗又要卸磨杀驴，向大清开刀，这太不应该了吧？"

阿睦尔语塞："我，这……"

巴特环视一下准噶尔的将领，高声道："同是蒙古人聚居区，漠南、漠北数十万蒙民，他们为什么能够安居乐业？他们为什么没有刀兵之苦？听我良言相劝，阿睦尔可汗，还是放弃幻想吧。"

阿睦尔凶相毕露："你处处为满洲人说话，难道就不怕我杀了你吗？"

阿睦尔一言出口，两旁将领又把刀拽了出来，与此同时，百余名军兵也从殿外闯了进来。

巴特嗤笑："可汗，巴特不过区区一人，何必如此兴师动众？"

阿睦尔轻轻地摆了摆手，当兵的慢慢地退了出去，两旁将领也都坐下了。突然，巴特凌空扑向阿睦尔，刹那间就扑到了阿睦尔身旁。阿睦尔见势不好，他起身拔刀，可是，随着一道寒光，一把匕首已经到了阿睦尔的咽喉。

阿睦尔也非等闲之辈，身子猛地往后一仰，"刺啦""咣当""扑通"，阿睦尔胸前被划出半尺多长的口子，椅子倒了，人摔在地上。

巴特还想刺第二刀，两旁将领一拥而上，把巴特围在当中。

巴特在众目睽睽之下刺杀阿睦尔，胆子也太大了。其实，巴特早就盘算好了：阿睦尔不可能投降清朝，如果我不先发制人，必然要受制于阿睦尔。与其坐以待毙，不如反戈一击。如果一招得手杀了阿睦尔，城内必然大乱，城外的清军就可乱中取胜。退一步说，就算失手，哈森也不会看着阿睦尔杀我。只要哈森和我共同对付阿睦尔，宝树安答的退路就没了。在巴特看来，这么做，左右都不吃亏。

哈森和巴特的感情比亲生父子还亲，见巴特有危险，哈森单刀一挥，阿睦尔的两员将领倒在血泊中。

哈森从地上捡起一把弯刀扔向巴特："阿爸，接刀！"

巴特手中虽有匕首，可长不及五寸，无法与敌将搏杀，哈森的刀扔得非常及时。巴特接过弯刀，与哈森一起往外杀。

巴特以勇猛著称，哈森深得巴特的真传，两个人手中刀上下翻飞，忽前忽后，忽左忽右，敌将纷纷后退。不多时，两个人杀出一条血路。

汗宫里的军兵毕竟不多，一到街上，伊犁城的军兵便蜂拥而来。

阿睦尔把伤口缠了缠，大叫："把这两个逆贼碎尸万段！"

巴特和哈森跟两头雄狮相仿，准噶尔将士根本无法上前。哈森和巴特合力往东杀，可是，阿睦尔的人太多了，两个人杀透一层，又来一层；来一层，又杀透一层。一个时辰过去了，两个人浑身是汗，刀也慢了下来。

就在这时，准噶尔军的后面一阵大乱，一队人马冲了过来，为首之人高声断喝："巴特安答，不要担心，宝树救你！"

巴特顺着声音方向一看，虽然二十多年过去了，宝树的容貌还能辨认出来，巴特喜出望外："宝树安答，我在这儿！"

哈森也看见了宝树："阿爸！"

宝树出城查看虚实，他在城外绕了大半天，来到一座山前，宝树勒马往山谷里观瞧，其间隐隐地透出杀气，甚至还有刀枪反射出的寒光。宝树不敢停留，准备回城向阿睦尔禀报。一到东门，就见一支驼队在城下歇息。宝树了解情况后大惊，他吩咐军兵关闭城门，直奔自己的府宅。

回到家中，哈珠把巴特劝降和阿睦尔设宴的事告诉给宝树。开始，宝树拿不定主意，可当哈珠转述巴特的话，"阿睦尔不但杀了噶尔丹策零的儿子，还僭位可汗，他对噶尔丹策零可汗有杀子夺位之仇，你们父子为救命恩人的仇家效命，那才是背叛。"宝树垂下头来。

哈珠催促宝树："阿睦尔汗已经对巴特兄弟生了疑心，将军，你赶紧拿主意。"

宝树急得在屋里来回踱步，正左右摇摆之际，外面喊杀声惊天动地，一个军兵跑了进来："启禀宝树将军，大事不好，汗廷正在调集重兵抓捕少将军哈森和他的义父。"

哈珠"扑通"一声就给宝树跪下了："将军，再犹豫巴特安答和咱们的儿子哈森就没命了！"

宝树把牙一咬，巴特安答说得没错，自己的恩人是噶尔丹策零，而阿睦尔杀了噶尔丹策零的儿子，篡取汗位，虽然阿睦尔对自己一家不错，可他毕竟不是忠臣。宝树脚一跺，带着身边的军兵杀了出来。

宝树夺过两匹马，巴特和哈森跳上坐骑，宝树把手中大枪抖开了，左边一扫一面子，右边一扫又一面子。一连突破准噶尔军的三道重围，巴特、宝树、哈森三人杀到东门。

城内大乱，城外驼队迅速打开骆驼背上的箱子，从里面取出弯弓向空中放响箭。清军闻声，潮水一般杀来。

东门的军兵正在阻击清军攻城，巴特、宝树、哈森就到了。东门守军见到自己的将领宝树和哈森，一时不知所措。哈森乘机砍断吊桥绳索，清军杀入城中。

阿睦尔见大势已去，他带领残兵败将出西门而去，清军主将兆惠乘胜追击。阿睦尔逃到俄国，不到半个月，因急火攻心，得天花而亡。

兆惠将军班师回朝，乾隆皇帝兑现承诺，封宝树为达尔罕贝子爵位，哈森被封为正三品参将。

巴特被召进乾清宫，乾隆皇帝要封巴特为理藩院尚书，加太傅之衔。这是正一品。巴特往上磕头："陛下皇恩浩荡，微臣感激涕零，可巴特年老力衰，行动迟缓，记忆减退，微臣恐贻误国家大事，恳请皇上恩准，容臣告老还乡，颐养天年。"

巴特再三请辞，乾隆想到当年通智把巴特投入大狱，色楞用尽酷刑，不禁面有愧色，乾隆皇帝没有勉强巴特，他命户部拨银三十万两，扩建包头召，并欣然命笔，赐包头召汉名"福徵寺"。

巴特以头触地："皇上日理万机，还能想到巴家的家庙，微臣及巴氏族人感激不尽。微臣定当告诫巴氏孙子，世世代代不望皇上的隆恩圣德。"

经过两年的治理，准噶尔地区安定下来。1759 年（乾隆二十四年），乾隆皇帝改准噶尔为新疆，即新开辟的疆域，并在新疆各地设立官府。这就是新疆的来历，新疆之名也一直延续到现在。

巴特回到家中，组织人力物力扩建包头召。一年后，包头召焕然一新，大致形成南北近百米，东西一百二十余米的中型喇嘛教庙宇规模。经幡飘动，风铃悦耳，巴氏家族念经礼佛，安分守己。

包头召经历了清朝的繁荣，也经历了清朝的衰落；经历了民国的肇始，也经历了民国的败退……时至今日，这座寺院依然昂首矗立在包头市东河区的北梁上。